英語で説明・プレゼン・発信ができるようになる 5つのルーティン

池田和子（会議通訳者、東京外国語大学非常勤講師）著

Routines

1 2 3 4 5

はじめに

皆さんは、誰かのために英語を自由に話せるようになりたいと思いませんか？自分が身に付けた英語を使って、「ありがとう。あなたのおかげで、日本についてよくわかりました」、あるいは「当社のことを外国の人に理解してもらえました。感謝しています」、または「私の気持ちを英語で伝えてくださって、ありがとうございました」などと言われるのは、素敵な体験だと思いませんか？

私は、長年、会議通訳者として仕事をしてきています。この間、このような感謝の言葉を何度かいただきました。通訳の現場に立つためには、その都度、事前に会議のトピックに関する新たな知識を身に付け、使われそうな表現を、日本語でも英語でもすっと口に出るように練習し、と、かなりの準備が必要です。ですが、通訳をした後には、誰かの役に立った実感がありますし、さらに感謝されると、なんていい仕事だろうと、その都度思うのです。

私はまた、会議通訳者の仕事と並行して、通訳者養成機関、大学、大学院、企業、政府機関などで通訳者養成法を使った英語の授業を行ってきました。欧米では、通訳者養成と外国語教育は別物と位置づけられていますが、日本では通訳訓練法は外国語教育に応用できると考えられており、今では、多くの大学・大学院で採用されています。私は、1998年に初めて大学で通訳者養成法を使った英語の授業を担当し、2002年に東京外国語大学で通訳関連の修士プログラムが立ち上がった時から、同大学でも通訳者養成法を取り入れた英語の授業を受け持つようになりました。

本書の「5つのルーティン」は、こうした大学での授業と、日本の通訳者養成機関および米国の大学院で通訳者になるために私が受けた訓練法、さらに英語教授法（TESOL）の修士課程で学んだ各種教授法とを結び付け、英語学習者に必要なトレーニングは何かを分析して作った方法論です。主に英語レベル中級以上の皆さんが、スピーキング力を飛躍的に伸ばす一冊として編みました。

大学や大学院の教え子の中には通訳者になっている人や、英語をいかした仕事をしている人もいますが、そうではない人もたくさんいます。そんな卒業生たちから、忘れた頃に連絡が来ることがあります。ある日、突然、上司から「君、英語できるんでしょう？ ちょっと通訳して」と言われ、学生時代の授業を思い出してやってみたものの、英語も日本語も全く口から出なくなっていた、「どうしよう、先生！」という悩み相談が多いのです。日々の業務に追われているうちに、学生時代よりも英語力が落ちていたという人はよくいます。外国語は、使わないと忘れるものだからです。

本書は、通訳者になっていただくことを促す本ではありません。むしろ、「英語ができる」と周りから思われている方や立場上、やむを得ず英語を使うことになった方、あるいはかつて英語が得意だった、好きだったが今はちょっと離れている、といった方が、実力にもっと磨きをかけ、もっと実践的な英語を身に付けて、日本や自分の住んでいる街について、自分の所属する組織について、または日本を代表して、英語で説明・プレゼンテーション・発信ができるようになることを目指すものです。

本書を書くきっかけをくださった、通訳バディーでもある、日本会議通訳者協会理事の関根マイクさん、手取り足取り本の書き方を指導してくださった編集者の永井薫さんに感謝を申し上げます。また、東京外国語大学で教えるきっかけを作り、長年、同僚として、また友人として支えてくださった吉冨朝子先生にも「ありがとう」と伝えたいです。

私を会議通訳者への道を示し、ご指導くださった、日本のパイオニア通訳者の西山千先生、村松増美先生、小松達也先生、長部三郎先生、ウィンター良子先生。先生方が教えてくださったことを、本書を通して広く伝えられていることをご報告し、厚く御礼申し上げます。また、自分が行っている授業を客観的にとらえ、さまざまな探求をする中で、独自の英語教授法を生徒と共に見つけていく重要性を教えてくださった、ジョン・ファンズロー（John Fanselow）先生にも感謝申し上げます。

そして何よりも、私を日本語と英語が話せる人間に育ててくれた両親に、また、私の授業を受講してくれた教え子の皆さんに、最大限の感謝を申し上げます。

2023年6月　池田和子

この本の使い方

ここでは、本書を使った学び方の手順についてご説明します。該当ページにも詳しい指示文がありますが、本を読む前に以下に目を通しておくと、さらに学習がスムーズです。なお、Routine（ルーティン）1～4は、そのExerciseで扱っているトピックについて英語で発信できるようになるというRoutine 5（最終目標）に到達するためのステップです。

Routine 1 音読：

トピックについて、日本語と英語で資料を音読します。相手に伝えようという気持ちを込めて、はっきりと、わかりやすく、声に出して読んでみてください。音読した後に、模範となる音声を聞きましょう。

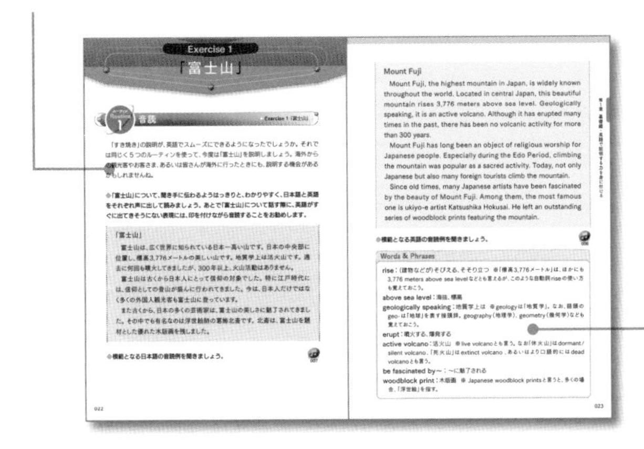

Exercise 1

「富士山」

ルーティン Routine 1 音読 Exercise 1「富士山」

「すき焼き」の説明が、英語でスムーズにできるようになったでしょうか。それでは同じく５つのルーティンを使って、今度は「富士山」を説明しましょう。海外からの観光客やお客さま、あるいは皆さんが海外に行ったときにも、説明する機会があるかもしれませんね。

◎「富士山」について、聞き手に伝わるようはっきりと、わかりやすく、日本語と英語をそれぞれ声に出して読みましょう。あとで「富士山」について話す際に、英語がすぐに出てきそうにない表現には、印を付けながら音読することをお勧めします。

「富士山」

富士山は、広く世界に知られている日本一高い山です。日本の中央部に位置し、標高3,776メートルの美しい山です。地質学上は活火山です。過去に何回も噴火してきましたが、300年以上、火山活動はありません。

富士山は古くから日本人にとって信仰の対象でした。特に江戸時代には、信仰としての登山が盛んに行われてきました。今は、日本人だけではなく多くの外国人観光客も富士山に登っています。

また古くから、日本の多くの芸術家は、富士山の美しさに魅了されてきました。その中でも有名なのは浮世絵師の葛飾北斎です。北斎は、富士山を題材とした優れた木版画を残しました。

◎模範となる日本語の音読例を聞きましょう。 007

022

Mount Fuji

Mount Fuji, the highest mountain in Japan, is widely known throughout the world. Located in central Japan, this beautiful mountain rises 3,776 meters above sea level. Geologically speaking, it is an active volcano. Although it has erupted many times in the past, there has been no volcanic activity for more than 300 years.

Mount Fuji has long been an object of religious worship for Japanese people. Especially during the Edo Period, climbing the mountain was popular as a sacred activity. Today, not only Japanese but also many foreign tourists climb the mountain.

Since old times, many Japanese artists have been fascinated by the beauty of Mount Fuji. Among them, the most famous one is ukiyo-e artist Katsushika Hokusai. He left an outstanding series of woodblock prints featuring the mountain.

◎模範となる英語の音読例を聞きましょう。 008

Words & Phrases

rise：（建物などが）そびえる、そそり立つ　※「標高3,776メートル」は、ほかにも3,776 meters above sea levelなどとも言えるが、このような自動詞riseの使い方も覚えておこう。

above sea level：海抜、標高

geologically speaking：地質学上は　※geologyは「地質学」。なお、語頭のgeo-は「地球」を表す接頭辞。geography（地理学）、geometry（幾何学）なども覚えておこう。

erupt：噴火する、爆発する

active volcano：活火山　※live volcanoとも言う。なお「休火山」はdormant / silent volcano、「死火山」はextinct volcano、あるいはより口語的にはdead volcanoとも言う。

be fascinated by～：～に魅了される

woodblock print：木版画　※Japanese woodblock printsと言うと、多くの場合、「浮世絵」を指す。

023

Words & Phrases：

英語の音読資料の中で、特に難易度が高そうなもの、あるいは、覚えておくと後々のルーティンの学習に役立ちそうなものを取り上げました。目を通しておきましょう。

Routine 2 重要ポイントをつなぐ

トピックについて、重要なポイントがメモやスライドに書かれています。このポイントをつないで、日本語、あるいは英語で言ってみます。Routine 1 の音読でインプットした知識も使いながら、声に出して説明してみましょう。

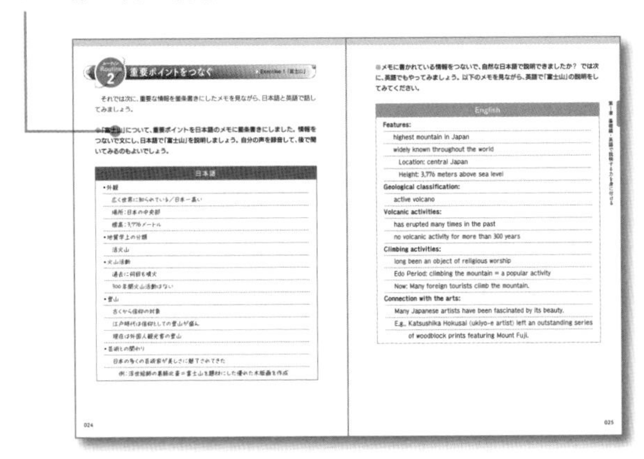

ルーティン Routine 2 重要ポイントをつなぐ Exercise 1「富士山」

それでは次に、重要な情報を箇条書きにしたメモを見ながら、日本語と英語で話してみましょう。

◎「富士山」について、重要ポイントを日本語のメモに箇条書きにしました。情報をつないで文にし、日本語で「富士山」を説明しましょう。自分の声を録音して、後で聞いてみるのもよいでしょう。

日本語

・外観
広く世界に知られている／日本一高い
場所：日本の中央部
標高：3,776メートル
・地質学上の分類
活火山
・火山活動
過去に何回も噴火
300年間火山活動はない
・登山
古くから信仰の対象
江戸時代は信仰としての登山が盛ん
現在は外国人観光客の登山
・芸術との関わり
日本の多くの芸術家が美しさに魅了されてきた
例：浮世絵師の葛飾北斎＝富士山を題材にした優れた木版画を作成

024

◎メモに書かれている情報をつないで、自然な日本語で説明できましたか？ では次に、英語でもやってみましょう。以下のメモを見ながら、英語で「富士山」の説明をしてみてください。

English

Features:
highest mountain in Japan
widely known throughout the world
Location: central Japan
Height: 3,776 meters above sea level
Geological classification:
active volcano
Volcanic activities:
has erupted many times in the past
no volcanic activity for more than 300 years
Climbing activities:
long been an object of religious worship
Edo Period: climbing the mountain = a popular activity
Now: Many foreign tourists climb the mountain.
Connection with the arts:
Many Japanese artists have been fascinated by its beauty.
E.g., Katsushika Hokusai (ukiyo-e artist) left an outstanding series of woodblock prints featuring Mount Fuji.

025

● Routine 3 リピーティング：英語を1文ずつリピートします（長いものは、途中で切っています）。最初は英文を見ながらでかまいませんが、二度目は英文をなるべく見ずにチャイムのあとで繰り返してみましょう。イントネーションやアクセントなどをなるべく真似て発話しましょう。

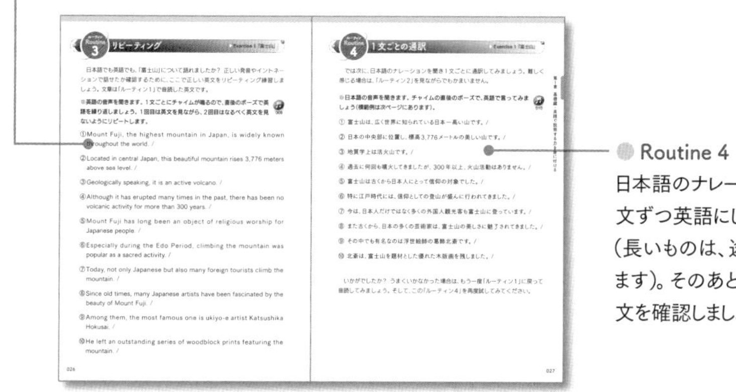

ルーティン Routine 3 リピーティング　Exercise 1「富士山」

日本語でも英語でも、「富士山」について語れましたか？ 正しい発音やイントネーションで話せたか確認するために、ここで正しい英文をリピーティング練習しましょう。文章は「ルーティン1」で音読した英文です。

※英語の音声を聞きます。1文ごとにチャイムが鳴るので、直後のポーズで英語を繰り返しましょう。1回目は英文を見ながら、2回目はなるべく英文を見ないようにリピートします。

①Mount Fuji, the highest mountain in Japan, is widely known throughout the world. /

②Located in central Japan, this beautiful mountain rises 3,776 meters above sea level. /

③Geologically speaking, it is an active volcano. /

④Although it has erupted many times in the past, there has been no volcanic activity for more than 300 years. /

⑤Mount Fuji has long been an object of religious worship for Japanese people. /

⑥Especially during the Edo Period, climbing the mountain was popular as a sacred activity. /

⑦Today, not only Japanese but also many foreign tourists climb the mountain. /

⑧Since old times, many Japanese artists have been fascinated by the beauty of Mount Fuji. /

⑨Among them, the most famous one is ukiyo-e artist Katsushika Hokusai. /

⑩He left an outstanding series of woodblock prints featuring the mountain. /

026

ルーティン Routine 4 1文ごとの通訳　Exercise 1「富士山」

では次に、日本語のナレーションを聞き1文ごとに通訳してみましょう。難しく感じる場合は、「ルーティン2」を見ながらでもかまいません。

※日本語の音声を聞きます。チャイムの直後のポーズで、英語で言ってみましょう（模範例は次ページにあります）。

① 富士山は、広く世界に知られている日本一高い山です。/

② 日本の中央部に位置し、標高3,776メートルの美しい山です。/

③ 地質学上は活火山です。/

④ 過去に何回も噴火してきましたが、300年以上、火山活動はありません。/

⑤ 富士山は古くから日本人にとって信仰の対象でした。/

⑥ 特に江戸時代には、信仰としての登山が盛んに行われてきました。/

⑦ 今は、日本人だけではなく多くの外国人観光客も富士山に登っています。/

⑧ また古くから、日本の多くの芸術家は、富士山の美しさに魅了されてきました。/

⑨ その中でも有名なのは浮世絵師の葛飾北斎です。/

⑩ 北斎は、富士山を題材とした優れた木版画を残しました。/

いかがでしたか？ うまくいかなかった場合は、もう一度「ルーティン1」に戻って音読してみましょう。そして、この「ルーティン4」を再度試してみてください。

027

● Routine 4 1文ごとの通訳：日本語のナレーションを聞き、1文ずつ英語にして言ってみます（長いものは、途中で切っています）。そのあとで模範例の英文を確認しましょう。

● Routine 5 英語で話す：最後にこのトピックについて、英語で話してみましょう。第1章は1分間でまとめます。第2章は日本語のスライドを見ながら、第3章は通訳風の日本語のメモを見ながらやってみます。そのあとで模範例となる英文と音声と確認してください。キーワードを空欄に書き出しておいてから、話し始めるといいでしょう。

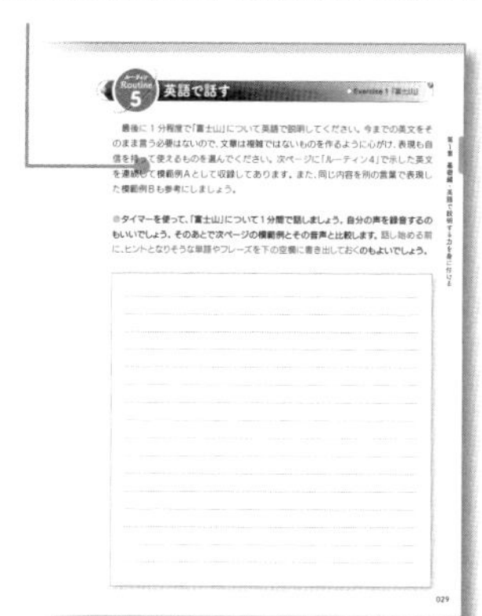

ルーティン Routine 5 英語で話す　Exercise 1「富士山」

最後に1分程度で「富士山」について英語で説明してください。今までの英文をそのまま言う必要はないので、文章は複雑ではないものを作るように心がけ、表現も自信を持って使えるものを選んでください。次ページに「ルーティン4」で示した英文を連続して模範例Aとして収録してあります。また、同じ内容を別の言葉で表現した模範例Bも参考にしましょう。

※タイマーを使って、「富士山」について1分間で話しましょう。自分の声を録音するのもいいでしょう。そのあとで次ページの模範例とその音声と比較します。話し始める前に、ヒントとなりそうな単語やフレーズを下の空欄に書き出しておくのもよいでしょう。

029

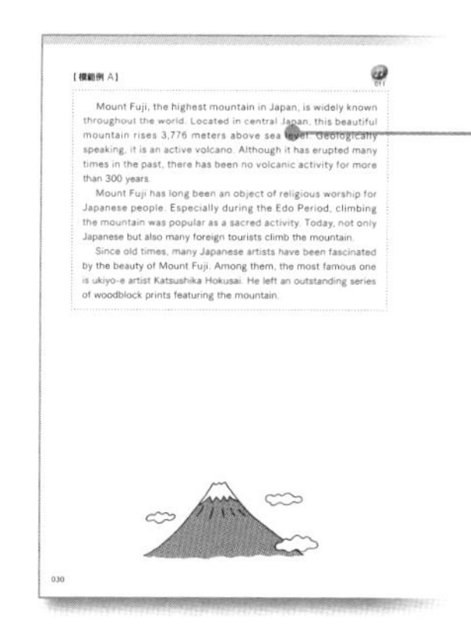

【模範例 A】

Mount Fuji, the highest mountain in Japan, is widely known throughout the world. Located in central Japan, this beautiful mountain rises 3,776 meters above sea level. Geologically speaking, it is an active volcano. Although it has erupted many times in the past, there has been no volcanic activity for more than 300 years.

Mount Fuji has long been an object of religious worship for Japanese people. Especially during the Edo Period, climbing the mountain was popular as a sacred activity. Today, not only Japanese but also many foreign tourists climb the mountain.

Since old times, many Japanese artists have been fascinated by the beauty of Mount Fuji. Among them, the most famous one is ukiyo-e artist Katsushika Hokusai. He left an outstanding series of woodblock prints featuring the mountain.

030

● 模範例：Routine 5には模範例AとBがあります。模範例Aは今まで学んできた英文を再掲載してあります（Routine 3、およびRoutine 4の模範例と同じです）。同じ内容を違う英語で表現したものが模範例Bです。学習の参考にしましょう。

● 解説：Routine 5の模範例AとBの差異や、このExerciseで学ぶべき英語表現、類似表現、構文などを丁寧に解説しています。

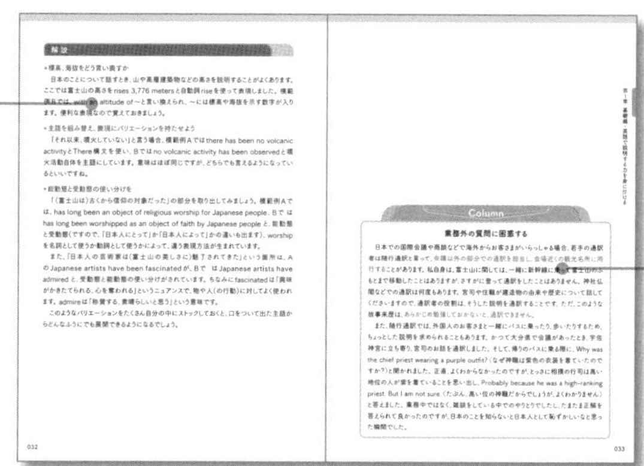

解説

・標高、海抜をどう言い換えるか

日本のことについて話すとき、山や高層建築物などの高さを説明することがよくあります。ここでは富士山の高さをrises 3,776 metersと自動詞riseを使って表現しました。模範例Bでは、with an altitude of～と言い換えられ、～には標高や海抜を示す数字が入ります。便利な表現なので覚えておきましょう。

・主語を組み替え、表現にバリエーションを持たせよう

「それ以来、噴火していない」と言う場合、模範例Aではthere has been no volcanic activityとThere構文を使い、Bではno volcanic activity has been observedと噴火活動自体を主語にしています。意味はほぼ同じですが、どちらでも言えるようになっているといいですね。

・能動態と受動態の使い分けを

「（富士山は）古くから信仰の対象だった」の部分を取り出してみましょう。模範例Aでは、has long been an object of religious worship for Japanese people、Bではhas long been worshipped as an object of faith by Japanese peopleと、能動態と受動態（ですので、「日本人にとって」か「日本人によって」かの違いも出ます）。worshipを名詞として使うか動詞として使うかによって、違う表現方法が生まれています。

また、「日本人の芸術家は（富士山の美しさに）魅了されてきた」という箇所は、AのJapanese artists have been fascinatedが、BではJapanese artists have admiredと、受動態と能動態の使い分けがされています。ちなみにfascinatedは「興味がかきたてられる、心を奪われる」というニュアンスで、物や人（の行動）に対してよく使われます。admireは「称賛する、素晴らしいと思う」という意味です。

このようなバリエーションをたくさん自分の中にストックしておくと、口をついて出た主語からどんなふうにでも展開できるようになるでしょう。

032

Column

業務外の質問に困惑する

日本での国際会議や商談などで海外からお客さまがいらっしゃる場合、若手の通訳者は随行通訳と言って、会議以外の部分での通訳を担当し、会場近くの観光名所に同行することがあります。私自身は、富士山に関しては、一緒に新幹線に乗って富士山のふもとまで移動したことはありますが、さすがに登って通訳をしたことはありません。神社仏閣などでの通訳は何度もあります。宮司や住職が建造物の由来や歴史について話してくださいますので、通訳者の役割は、そうした説明を通訳することです。ただ、このような故事来歴は、あらかじめ勉強しておかないと、通訳できません。

また、随行通訳では、外国人のお客さまと一緒にバスに乗ったり、歩いたりするため、ちょっとした説明を求められることもあります。かつて大分県で会議があったとき、宇佐神宮に立ち寄り、宮司のお話を通訳しました。そして、帰りのバスに乗る際に、Why was the chief priest wearing a purple outfit?（なぜ神職は紫色の衣装を着ていたのですか？）と聞かれました。正直、よくわからなかったのですが、とっさに相撲の行司は高い地位の人が紫を着ていることを思い出し、Probably because he was a high-ranking priest. But I am not sure.（たぶん、高い位の神職だからでしょうが、よくわかりません）と答えました。業務中ではなく、雑談をしている中でのやりとりでしたし、たまたま正解を答えられて良かったのですが、日本のことを知らないと日本人として恥ずかしいなと思った瞬間でした。

033

● Column：英語を学ぶことや学んだ英語を発信することについて、通訳者の視点からのこぼれネタをご紹介しています。

Contents

第1章
基礎編
英語で説明する力を身に付ける

5 Routines

第2章

中級編

英語でプレゼンする力を身に付ける

5 Routines

Contents

第3章

上級編

英語で世界に発信する力を身に付ける

── 令和4年度 長崎平和宣言(田上富久・長崎市長)を使って──

Routines

音声ダウンロードの方法

本書では、音声マーク（001）の付いた箇所の音声が聞けます。音声は、パソコン、またはスマートフォンで、無料でダウンロードできます。本書の学習にお役立てください。

パソコンをご利用の場合

アルク「ダウンロードセンター」https://portal-dlc.alc.co.jp から音声がダウンロードできます。商品コード（7023002）、または書籍名（**英語で説明・プレゼン・発信ができるようになる5つのルーティン**）で本書の音声を検索し、画面の指示に従って操作してください。

スマートフォンをご利用の場合

音声が再生できるアプリ「英語学習 booco」https://booco.page.link/4zHd をご利用ください。「英語学習 booco」のインストール方法は表紙カバー袖でご案内しています。インストール後、ホーム画面下「さがす」から、商品コード（7023002）、または書籍名（**英語で説明・プレゼン・発信ができるようになる5つのルーティン**）で本書を検索し、音声ファイルをダウンロードしてください。

本サービスの内容は、予告なく変更する場合がございます。あらかじめご了承ください。

第1章

基礎編
英語で説明する力を身に付ける

海外からのお客さまに対して、あるいは皆さんが海外に行った時にも、聞かれたり、説明したりする機会が多そうな、日本固有のものを取り上げました。「5つのルーティン」で学び、自分の英語で説明できるようになりましょう。

この章の学び方

「すき焼き」

まず、第1章の学習手順についてご説明しましょう。この本では、通訳者養成法を基にした、「5つのルーティン」で英語を話す力と聞く力を身に付けます。ルーティン1：音読、ルーティン2：重要ポイントをつなぐ、ルーティン3：リピーティング、ルーティン4：1文ごとの通訳、ルーティン5：英語で話すとし、そのトピックについて、自分の英語で語れるようになることを目指します。

それぞれのルーティンについて、「すき焼き」の説明を題材にご説明しましょう。

音読

英語の勉強をし始めたころ、多くの方は、「英語を使って外国人に日本のことを伝えたい」と思ったのではないでしょうか。ところが、いざ伝える場面になると、肝心の、伝えるべき日本のことについて十分な知識を持っていないと、気付いたことはありませんか？ 自分が知らないことは、日本語でも英語でも表現できません。本書のゴールは英語で話すことですが、まずは皆さんが言いたいことについての知識を身に付ける必要があります。

ですから「ルーティン1」では、まずは話すべき内容について、日本語と英語で資料を音読しましょう。ただ棒読みするだけではいけません。自分のペースでかまいませんので、人に伝えようという気持ちを込めて、はっきりと、わかりやすく声に出してください。どの言語であれ、音読することにより、内容がよりよく頭に入ります。

ここでは、海外からのお客さまに対して説明する機会がありそうな、「すき焼き」を題材にします。「すき焼き」はどんな料理か、そしてまた簡単な歴史をまとめた日本語と英語の文章を音読してください。まずは日本語で、そして次に、英語で読みましょう。

「すき焼き」について、聞き手に伝わるようはっきりと、わかりやすく、日本語と英語をそれぞれ声に出して読みましょう。あとで「すき焼き」について語る際に、英語がすぐに出てきそうにない表現には、印を付けながら音読することをお勧めします。

「すき焼き」

すき焼きは、日本を代表する料理です。牛肉、豆腐、野菜を煮たり焼いたりし、醤油、砂糖、酒で味付けします。大きな浅い鍋で調理され、湯気が立っている熱々の状態で出されます。具は溶いた生卵に浸けてからいただきます。かつて日本では、牛肉を食べることは一般的ではありませんでした。しかし、明治時代に西洋料理が日本に紹介されたことにより、日本人も牛肉を食べるようになりました。すき焼きは広く食べられるようになり、今では世界中で食されている人気の日本料理です。

模範となる日本語の音読例を聞きましょう。

001

Sukiyaki

Sukiyaki is a typical Japanese dish. The beef, tofu and vegetables are cooked or broiled and seasoned with soy sauce, sugar and sake. It is prepared in a large, shallow pot and is served steaming hot. The ingredients are dipped in a bowl of beaten raw egg before being eaten. In the past, eating beef was not common in Japan. But with the introduction of Western cuisine during the Meiji Period, the Japanese began to eat beef as well. Sukiyaki became widely eaten and is now a popular Japanese dish enjoyed around the world.

模範となる英語の音読例を聞きましょう。

002

重要ポイントをつなぐ

▶この章の学び方「すき焼き」

次に、「すき焼き」を日本語と英語で説明してみましょう。「ルーティン1」で音読したことで、「すき焼き」について日本語でも英語でも説明したい内容が、頭に入ったと思いますが、すべてを暗記したわけではないでしょう。また、その必要もありません。この「ルーティン2」では、まずは日本語のメモを見ながら、日本語で「すき焼き」を声に出して説明してみましょう。

●「すき焼き」について、重要ポイントを日本語のメモに箇条書きにしました。重要ポイントをつないで文章にし、「すき焼き」を説明しましょう。自分の声を録音して、あとで聞いてみるのもよいでしょう。

日本語
すき焼きとは：日本を代表する料理
材料：牛肉、豆腐、野菜
調理方法：煮る、焼く
味付け：醤油、砂糖、酒
調理器具：大きな浅い鍋
食べ方：熱々の状態で出され、溶いた生卵に浸けて食べる
歴史：①明治時代以前：牛肉を食べなかった
②明治時代：西洋料理が日本に紹介→牛肉を食べるように
→すき焼きも広く食べられるように
③現在：世界中で人気の日本料理

●メモに書かれている情報をつないで、自然な日本語で説明することができましたか？ では、次に英語でも同じことをやってみましょう。英語のメモを見ながら、英語で「すき焼き」を説明してみてください。

English
Sukiyaki: a typical Japanese dish
Ingredients: beef, tofu and vegetables
Preparation: cooked or broiled
Seasonings: soy sauce, sugar and sake
Cooking tool: a large, shallow pot
How to eat it: served steaming hot and dipped in a bowl of beaten raw egg
History: ①Before the Meiji period: eating beef was not
common in Japan.
②Meiji Period: the introduction of Western cuisine
→the Japanese began to eat beef
→ sukiyaki became widely eaten
③Now: a popular Japanese dish around the world

Words & Phrases 重要な単語とフレーズをまとめました。

broil：［直火（じかび）で肉を］焼く ※オーブンやガスなどで上から食品に熱を加え、食品の表面をこんがりと焼くことを言う。バーベキューや網焼きのように下から直火で焼く場合は、grillと言う。

seasoned with～：～で味付けされた

pot：鍋

ingredient：材料

introduction：紹介（すること）、伝来、初輸入

リピーティング

▶この章の学び方「すき焼き」

日本語でも英語でも、「すき焼き」について語ることができましたか？ 日本語はさほど難しくなかったかもしれませんが、英語だとうまく文が作れなかったり、つなぎ言葉が出てこなかったりしたかもしれませんね。また、正しい発音やイントネーションで語れているか不安な方もいらっしゃると思うので、ここで「ルーティン１」で音読した英語を１文ごとにリピートしましょう。

●英語の音声を聞きます。１文ごとにチャイムが鳴るので、直後のポーズで英語を繰り返しましょう。１回目は英文を見ながら、２回目はなるべく英文を見ないようにリピートします。

① Sukiyaki is a typical Japanese dish. /

② The beef, tofu and vegetables are cooked or broiled and seasoned with soy sauce, sugar and sake. /

③ It is prepared in a large, shallow pot and is served steaming hot. /

④ The ingredients are dipped in a bowl of beaten raw egg before being eaten. /

⑤ In the past, eating beef was not common in Japan. /

⑥ But with the introduction of Western cuisine during the Meiji Period, the Japanese began to eat beef as well. /

⑦ Sukiyaki became widely eaten and is now a popular Japanese dish enjoyed around the world. /

1文ごとの通訳

▶この章の学び方「すき焼き」

では次に、音読した内容をベースにした、短い日本語の文を聞きます。1文ごとにチャイムが鳴るので、直後のポーズ（間）で英語の訳を言いましょう。時間内に、正しい表現で構文を組み立ててみてください。「ルーティン2」のメモを見ながらでもかまいません。うまくいかなかった場合はもう一度、「ルーティン1」の音読をして、この「ルーティン4」を再度試してみてください。最後に次ページの模範例を見ながら比較してみましょう。

●日本語の音声を聞きます。チャイムの直後のポーズで、英語で言ってみましょう（模範例は次ページにあります）。

004

① すき焼きは、日本を代表する料理です。/

② 牛肉、豆腐、野菜を煮たり焼いたりし、醤油、砂糖、酒で味付けします。/

③ 大きな浅い鍋で調理され、湯気が立っている熱々の状態で出されます。/

④ 具は溶いた生卵に浸けてからいただきます。/

⑤ かつて日本では、牛肉を食べることは一般的ではありませんでした。/

⑥ しかし、明治時代に西洋料理が日本に紹介されたことにより、日本人も牛肉を食べるようになりました。/

⑦ すき焼きは広く食べられるようになり、今では世界中で食されている人気の日本料理です。/

【模範例】

① Sukiyaki is a typical Japanese dish.

② The beef, tofu and vegetables are cooked or broiled and seasoned with soy sauce, sugar and sake.

③ It is prepared in a large, shallow pot and is served steaming hot.

④ The ingredients are dipped in a bowl of beaten raw egg before being eaten.

⑤ In the past, eating beef was not common in Japan.

⑥ But with the introduction of Western cuisine during the Meiji Period, the Japanese began to eat beef as well.

⑦ Sukiyaki became widely eaten and is now a popular Japanese dish enjoyed around the world.

英語で話す

▶この章の学び方「すき焼き」

最後に1分程度で「すき焼き」について英語で話してください。模範例を暗記する必要はないので、文章は、複雑ではないものを作るように心がけ、自信を持って使える表現で話してみましょう。今まで学んだ模範例Aと、別のパターンの模範例Bも提示します。同じ内容を別の言葉で表現できるとわかるでしょう。

●タイマーを使って、「すき焼き」について1分間で話しましょう。自分の声を録音するのもいいでしょう。そのあとで次ページの模範例とその音声と比較します。うまくできなかった方は、音声を聞いたあとにもう一度やってみましょう。

【模範例 A】

Sukiyaki is a typical Japanese dish. The beef, tofu and vegetables are cooked or broiled and seasoned with soy sauce, sugar and sake. It is prepared in a large, shallow pot and is served steaming hot. The ingredients are dipped in a bowl of beaten raw egg before being eaten. In the past, eating beef was not common in Japan. But with the introduction of Western cuisine during the Meiji Period, the Japanese began to eat beef as well. Sukiyaki became widely eaten and is now a popular Japanese dish enjoyed around the world.

【模範例 B】

Sukiyaki is a dish representative of Japan. It contains beef, tofu and vegetables, which are simmered or grilled together. The ingredients are flavored with soy sauce, sugar and sake. Sukiyaki is cooked in a big, shallow pot. It is served hot and dipped in a bowl of beaten raw egg when eaten. Beef was not commonly eaten in Japan a long time ago. In the Meiji Era (1868-1912), however, Western cooking was introduced to Japan. This led Japanese people to start eating beef. Sukiyaki also became commonly eaten in Japan. Sukiyaki is now a popular Japanese dish for non-Japanese as well.

※representative of～：～を代表する／simmer：～をぐつぐつ煮る／be flavored with ～：～で味付け(風味付け)されて

解説

•「日本の●●を代表する××」を何と言うか

日本の事象を説明するときに、「日本の●●を代表する××」という表現がよく出てきます。「代表する」という動詞を探すよりも、typical/representative Japanese dish（典型的な／代表的な日本の料理）という形容詞を使った表現を覚えておくほうが、ずっと口に出やすいかもしれません。模範例Bのdish representative of Japan（日本を代表する料理）という上級者向けの言い回しもできるようになるといいでしょう。

•調理方法を表す動詞

調理に関してここでは、cook（[熱を加えて食材を]料理する）、broil（直火で肉を焼く）、simmer（ぐつぐつ煮える／煮る）、grill（[肉・魚などを]直火で焼く、網焼きにする）とさまざまな言い方が出てきます。この機会にそれぞれのニュアンスを押さえておきましょう。使い分けに悩むときには、一般的に加熱する調理法はすべてcookでもかまいません。

•覚えておきたい鍋の種類

a large, shallow potのpotに戸惑われたかもしれません。potは通常「（取っ手と蓋が付いた）丸い深鍋」を指します。hot pot dishと言うと一般的に「鍋物」を指します。浅い鍋はpanで、frying pan（フライパン）、saucepan（片手鍋、シチュー鍋）などがあります。

•形容詞と副詞を自由自在に使い分ける

模範例Aのeating beef was not common（牛肉を食べることは一般的ではなかった）が、BではBeef was not commonly eaten（牛肉は一般的に食べられてなかった）と言い換えられています。どちらも意味することは同じですが、このように主語の変化に応じて、自由自在に副詞と形容詞が使い分けられるといいですね。

またcommonly eaten（一般的に食べられる）、widely eaten（広く食べられる）のような副詞を使った表現は多用されるので、覚えておくといいでしょう。

Column

食べながら通訳するときは

通訳者として外国からのお客さまと食事をご一緒することは、よくあります。通訳をしながら自分も一緒に食事をしてよい場合と、通訳者には業務後に別の料理が用意されている場合とがあります。通訳が必要な食事となると、自腹では行けないような高級料理店のことが多いので、食事ができることは素直にうれしいのですが、実は問題があります。

というのも、食べるのもしゃべるのも口を使うので、食べながら通訳をするのは至難の業なのです。特に、ミッションに随行しているときは、皆さんと一緒に次の場所に移動する場合が多いので、「食べながらの通訳」を強いられることが多いのが実情です。

食事会のときはだいたい逐次通訳を行います。発言者が一区切り話し終わるまで通訳者はメモを取りながら聞き、発言が終わったら通訳するというやり方です。通訳者のパイオニア的存在で、私の恩師でもある村松増美先生には、「『この人、長くしゃべりそうだな』と思ったら、何かを食べながらメモを取って聞いていなさい。そうすれば、自分が通訳をするときには、口には何も残っていません。やりとりが短く切られるような対話になりそうだなと思ったら、何も食べずに通訳をするか、あるいは、すぐに飲み込めるものを食べなさい」と教わったことを覚えています。さすがに、通訳しながらすき焼きを食べたことはこれまでありませんが、先生から伝授された戦略で、日本でも海外でも、いろいろなおいしいものをいただきながら通訳をしてきました。

Exercise 1
「富士山」

音読

▶ Exercise 1「富士山」

「すき焼き」の説明が、英語でスムーズにできるようになったでしょうか。それでは同じく５つのルーティンを使って、今度は「富士山」を説明しましょう。海外からの観光客やお客さま、あるいは皆さんが海外に行ったときにも、説明する機会があるかもしれませんね。

●「富士山」について、聞き手に伝わるようはっきりと、わかりやすく、日本語と英語をそれぞれ声に出して読みましょう。あとで「富士山」について話す際に、英語がすぐに出てきそうにない表現には、印を付けながら音読することをお勧めします。

「富士山」

富士山は、広く世界に知られている日本一高い山です。日本の中央部に位置し、標高3,776メートルの美しい山です。地質学上は活火山です。過去に何回も噴火してきましたが、300年以上、火山活動はありません。

富士山は古くから日本人にとって信仰の対象でした。特に江戸時代には、信仰としての登山が盛んに行われてきました。今は、日本人だけではなく多くの外国人観光客も富士山に登っています。

また古くから、日本の多くの芸術家は、富士山の美しさに魅了されてきました。その中でも有名なのは浮世絵師の葛飾北斎です。北斎は、富士山を題材とした優れた木版画を残しました。

●模範となる日本語の音読例を聞きましょう。

007

Mount Fuji

Mount Fuji, the highest mountain in Japan, is widely known throughout the world. Located in central Japan, this beautiful mountain rises 3,776 meters above sea level. Geologically speaking, it is an active volcano. Although it has erupted many times in the past, there has been no volcanic activity for more than 300 years.

Mount Fuji has long been an object of religious worship for Japanese people. Especially during the Edo Period, climbing the mountain was popular as a sacred activity. Today, not only Japanese but also many foreign tourists climb the mountain.

Since old times, many Japanese artists have been fascinated by the beauty of Mount Fuji. Among them, the most famous one is ukiyo-e artist Katsushika Hokusai. He left an outstanding series of woodblock prints featuring the mountain.

●模範となる英語の音読例を聞きましょう。

Words & Phrases

rise：（建物などが）そびえる、そそり立つ　※「標高3,776メートル」は、ほかにも3,776 meters above sea levelなどとも言えるが、このような自動詞riseの使い方も覚えておこう。

above sea level：海抜、標高

geologically speaking：地質学上は　※geologyは「地質学」。なお、語頭のgeo-は「地球」を表す接頭辞。geography（地理学）、geometry（幾何学）なども覚えておこう。

erupt：噴火する、爆発する

active volcano：活火山　※live volcanoとも言う。なお「休火山」はdormant/silent volcano、「死火山」はextinct volcano、あるいはより口語的にはdead volcanoとも言う。

be fascinated by～：～に魅了される

woodblock print：木版画　※Japanese woodblock printsと言うと、多くの場合、「浮世絵」を指す。

▶ Exercise 1「富士山」

それでは次に、重要な情報を箇条書きにしたメモを見ながら、日本語と英語で話してみましょう。

●「富士山」について、重要ポイントを日本語のメモに箇条書きにしました。情報をつないで文にし、日本語で「富士山」を説明しましょう。自分の声を録音して、後で聞いてみるのもよいでしょう。

日本語
•外観
広く世界に知られている／日本一高い
場所：日本の中央部
標高：3,776メートル
•地質学上の分類
活火山
•火山活動
過去に何回も噴火
300年間火山活動はない
•登山
古くから信仰の対象
江戸時代は信仰としての登山が盛ん
現在は外国人観光客の登山
•芸術との関わり
日本の多くの芸術家が美しさに魅了されてきた
例：浮世絵師の葛飾北斎＝富士山を題材にした優れた木版画を作成

●メモに書かれている情報をつないで、自然な日本語で説明できましたか？ では次に、英語でもやってみましょう。以下のメモを見ながら、英語で「富士山」の説明をしてみてください。

English
Features:
highest mountain in Japan
widely known throughout the world
Location: central Japan
Height: 3,776 meters above sea level
Geological classification:
active volcano
Volcanic activities:
has erupted many times in the past
no volcanic activity for more than 300 years
Climbing activities:
long been an object of religious worship
Edo Period: climbing the mountain = a popular activity
Now: Many foreign tourists climb the mountain.
Connection with the arts:
Many Japanese artists have been fascinated by its beauty.
E.g., Katsushika Hokusai (ukiyo-e artist) left an outstanding series of woodblock prints featuring Mount Fuji.

リピーティング

▶Exercise 1「富士山」

日本語でも英語でも、「富士山」について語れましたか？ 正しい発音やイントネーションで話せたか確認するために、ここで正しい英文をリピーティング練習しましょう。文章は「ルーティン1」で音読した英文です。

●英語の音声を聞きます。1文ごとにチャイムが鳴るので、直後のポーズで英語を繰り返しましょう。1回目は英文を見ながら、2回目はなるべく英文を見ないようにリピートします。

①Mount Fuji, the highest mountain in Japan, is widely known throughout the world. /

②Located in central Japan, this beautiful mountain rises 3,776 meters above sea level. /

③Geologically speaking, it is an active volcano. /

④Although it has erupted many times in the past, there has been no volcanic activity for more than 300 years. /

⑤Mount Fuji has long been an object of religious worship for Japanese people. /

⑥Especially during the Edo Period, climbing the mountain was popular as a sacred activity. /

⑦Today, not only Japanese but also many foreign tourists climb the mountain. /

⑧Since old times, many Japanese artists have been fascinated by the beauty of Mount Fuji. /

⑨Among them, the most famous one is ukiyo-e artist Katsushika Hokusai. /

⑩He left an outstanding series of woodblock prints featuring the mountain. /

ルーティン Routine 4

1文ごとの通訳

▶ Exercise 1「富士山」

では次に、日本語のナレーションを聞き1文ごとに通訳してみましょう。難しく感じる場合は、「ルーティン2」を見ながらでもかまいません。

●日本語の音声を聞きます。チャイムの直後のポーズで、英語で言ってみましょう(模範例は次ページにあります)。

010

① 富士山は、広く世界に知られている日本一高い山です。/

② 日本の中央部に位置し、標高3,776メートルの美しい山です。/

③ 地質学上は活火山です。/

④ 過去に何回も噴火してきましたが、300年以上、火山活動はありません。/

⑤ 富士山は古くから日本人にとって信仰の対象でした。/

⑥ 特に江戸時代には、信仰としての登山が盛んに行われてきました。/

⑦ 今は、日本人だけではなく多くの外国人観光客も富士山に登っています。/

⑧ また古くから、日本の多くの芸術家は、富士山の美しさに魅了されてきました。/

⑨ その中でも有名なのは浮世絵師の葛飾北斎です。/

⑩ 北斎は、富士山を題材とした優れた木版画を残しました。/

いかがでしたか? うまくいかなかった場合は、もう一度「ルーティン1」に戻って音読してみましょう。そして、この「ルーティン4」を再度試してみてください。

【模範例】

①Mount Fuji, the highest mountain in Japan, is widely known throughout the world.

②Located in central Japan, this beautiful mountain rises 3,776 meters above sea level.

③Geologically speaking, it is an active volcano.

④Although it has erupted many times in the past, there has been no volcanic activity for more than 300 years.

⑤Mount Fuji has long been an object of religious worship for Japanese people.

⑥Especially during the Edo Period, climbing the mountain was popular as a sacred activity.

⑦Today, not only Japanese but also many foreign tourists climb the mountain.

⑧Since old times, many Japanese artists have been fascinated by the beauty of Mount Fuji.

⑨Among them, the most famous one is ukiyo-e artist Katsushika Hokusai.

⑩He left an outstanding series of woodblock prints featuring the mountain.

英語で話す

▶ Exercise 1「富士山」

最後に1分程度で「富士山」について英語で説明してください。今までの英文をそのまま言う必要はないので、文章は複雑ではないものを作るように心がけ、表現も自信を持って使えるものを選んでください。次ページに「ルーティン4」で示した英文を連続して模範例Aとして収録してあります。また、同じ内容を別の言葉で表現した模範例Bも参考にしましょう。

●タイマーを使って、「富士山」について1分間で話しましょう。自分の声を録音するのもいいでしょう。そのあとで次ページの模範例とその音声と比較します。話し始める前に、ヒントとなりそうな単語やフレーズを下の空欄に書き出しておくのもよいでしょう。

【模範例 A】

Mount Fuji, the highest mountain in Japan, is widely known throughout the world. Located in central Japan, this beautiful mountain rises 3,776 meters above sea level. Geologically speaking, it is an active volcano. Although it has erupted many times in the past, there has been no volcanic activity for more than 300 years.

Mount Fuji has long been an object of religious worship for Japanese people. Especially during the Edo Period, climbing the mountain was popular as a sacred activity. Today, not only Japanese but also many foreign tourists climb the mountain.

Since old times, many Japanese artists have been fascinated by the beauty of Mount Fuji. Among them, the most famous one is ukiyo-e artist Katsushika Hokusai. He left an outstanding series of woodblock prints featuring the mountain.

【模範例 B】

012

Mount Fuji is the highest mountain in Japan and is well known throughout the world. It is a beautiful mountain in the center of Japan with an altitude of 3,776 meters. Geologically, it is an active volcano and has repeatedly erupted in the past. However, no volcanic activity has been observed since 1707.

Mount Fuji has long been worshipped as an object of faith by Japanese people. During the Edo Period (1603-1867), Mount Fuji was especially popular as a religious mountain-climbing destination. Nowadays, Mount Fuji is climbed not only by Japanese but also by many foreign tourists.

Since ancient times, many Japanese artists have admired the greatness and beauty of Mount Fuji. Among them was Katsushika Hokusai, a well-known ukiyo-e artist. Hokusai made an exceptional series of 36 woodblock prints, called "Fugaku Sanjurokkei (Thirty-Six Views of Mount Fuji)," featuring the mountain.

※altitude：標高／observe：～を観測する／Fugaku Sanjurokkei：「富嶽(ふがく)三十六景」 ＊江戸時代の浮世絵師葛飾北斎による富士図版画集。1831-34年（天保(てんぽう)2-5年）制作。

いかがでしたか？ うまく話せなかった方は、もう一度「ルーティン3」のリピーティングに戻って、丁寧に復習してみましょう。

解説

●標高、海抜をどう言い表すか

日本のことについて話すとき、山や高層建築物などの高さを説明することがよくあります。ここでは富士山の高さをrises 3,776 metersと自動詞riseを使って表現しました。模範例Bでは、with an altitude of～と言い換えられ、～には標高や海抜を示す数字が入ります。便利な表現なので覚えておきましょう。

●主語を組み替え、表現にバリエーションを持たせよう

「それ以来、噴火していない」と言う場合、模範例Aではthere has been no volcanic activityとThere構文を使い、Bではno volcanic activity has been observedと噴火活動自体を主語にしています。意味はほぼ同じですが、どちらでも言えるようになっているといいですね。

●能動態と受動態の使い分けを

「（富士山は）古くから信仰の対象だった」の部分を取り出してみましょう。模範例Aでは、has long been an object of religious worship for Japanese people、Bでは has long been worshipped as an object of faith by Japanese peopleと、能動態と受動態（ですので、「日本人にとって」か「日本人によって」かの違いも出ます）、worshipを名詞として使うか動詞として使うかによって、違う表現方法が生まれています。

また、「日本人の芸術家は（富士山の美しさに）魅了されてきた」という箇所は、AのJapanese artists have been fascinatedが、Bでは Japanese artists have admired と、受動態と能動態の使い分けがされています。ちなみにfascinatedは「興味がかきたてられる、心を奪われる」というニュアンスで、物や人（の行動）に対してよく使われます。admireは「称賛する、素晴らしいと思う」という意味です。

このようなバリエーションをたくさん自分の中にストックしておくと、口をついて出た主語からどんなふうにでも展開できるようになるでしょう。

Column

業務外の質問に困惑する

日本での国際会議や商談などで海外からお客さまがいらっしゃる場合、若手の通訳者は随行通訳と言って、会議以外の部分での通訳を担当し、会場近くの観光名所に同行することがあります。私自身は、富士山に関しては、一緒に新幹線に乗って富士山のふもとまで移動したことはありますが、さすがに登って通訳をしたことはありません。神社仏閣などでの通訳は何度もあります。宮司や住職が建造物の由来や歴史について話してくださいますので、通訳者の役割は、そうした説明を通訳することです。ただ、このような故事来歴は、あらかじめ勉強しておかないと、通訳できません。

また、随行通訳では、外国人のお客さまと一緒にバスに乗ったり、歩いたりするため、ちょっとした説明を求められることもあります。かつて大分県で会議があったとき、宇佐神宮に立ち寄り、宮司のお話を通訳しました。そして、帰りのバスに乗る際に、Why was the chief priest wearing a purple outfit?（なぜ神職は紫色の衣装を着ていたのですか?）と聞かれました。正直、よくわからなかったのですが、とっさに相撲の行司は高い地位の人が紫を着ていることを思い出し、Probably because he was a high-ranking priest. But I am not sure.（たぶん、高い位の神職だからでしょうが、よくわかりません）と答えました。業務中ではなく、雑談をしている中でのやりとりでしたし、たまたま正解を答えられて良かったのですが、日本のことを知らないと日本人として恥ずかしいなと思った瞬間でした。

Exercise 2
「相撲」

音読

▶Exercise 2「相撲」

では次に、「相撲」について、英語で話せるように練習しましょう。

●「相撲」について、聞き手に伝わるようはっきりと、わかりやすく、日本語と英語をそれぞれ声に出して読みましょう。あとで「相撲」について語る際に、英語がすぐに出てきそうにない表現には、印を付けながら音読することをお勧めします。

「相撲」

相撲は日本の伝統的な格闘技です。相撲の取り組みでは、まわしのみを身に付けた二人の力士が土俵に上がります。一方が土俵から出ると、その力士は負けです。また、足の裏以外の、身体の一部が土俵についても、負けです。

相撲は日本の国技となってからわずか114年＊です。しかしその起源は、神話の時代にまでさかのぼります。古代には農耕儀礼や神事として行われていました。江戸時代には相撲を職業とする人たちが現れ、定期的な興行がなされるようになりました。今日の大相撲の基礎が確立されたのはこの頃です。

現在、日本相撲協会は年6回、興行を行っています。その様子はテレビ、ラジオ、インターネットで世界中へ届けられています。最近では外国人力士も増えました。相撲は今、日本人と外国出身者の両方によって支えられています。

（114年＊=2023年現在）

●模範となる日本語の音読例を聞きましょう。

013

Sumo

Sumo is a traditional Japanese martial art. In sumo, two wrestlers wearing only a "mawashi," or loincloth, step into the ring. If a wrestler is forced or falls out of the ring, then that wrestler loses. A wrestler also loses if anything other than the soles of his feet touch the ground.

It has only been 114 years since sumo became the country's national sport. However, its origins actually date back to mythical times. In ancient days, sumo was practiced as both an agricultural and a Shinto ritual. In the Edo Period, sumo became a profession and regular tournaments were held. This was when the foundation for today's Grand Sumo tournaments was established.

Currently, the Japan Sumo Association holds six tournaments a year. The bouts are broadcast on TV, radio and the internet around the world. Recently, the number of wrestlers from overseas has been increasing. Sumo is now supported both by Japanese and by others with non-Japanese roots.

●模範となる英語の音読例を聞きましょう。

014

Words & Phrases

martial art：武道、武術
national sport：国技
date back to～：（起源などが）～にさかのぼる
mythical：神話の、想像上の
Shinto ritual：神事、神道の祭祀（さいし）
profession：専門的職業
bout：取り組み、試合
broadcast：※動詞broadcast（放送する）の過去分詞。broadcastedとも言う。

▶ Exercise 2「相撲」

それでは次に、「相撲」について重要なポイントを箇条書きにしたメモを見ながら、日本語と英語で話してみましょう。

●以下のメモにあるポイントをつないで文章にし、「相撲」を説明しましょう。自分の声を録音して、あとで聞いてみるのもよいでしょう。

日本語
•相撲とは　日本の伝統的な格闘技
誰が：まわしのみを身に付けた2人の力士
どこで：土俵
ルール：一方が土俵から出るか、足の裏以外の身体の一部が土俵につくと負け
•歴史　国技として＝114年前
起源：神話の時代
古代：農耕儀礼や神事として行われる
江戸時代：相撲を職業とする人たちが登場
定期的な興行がなされるようになる
現在の大相撲の基礎が確立
現在：日本相撲協会による年6回の興行
テレビ、ラジオ、インターネットで世界中へ届けられている
外国人力士の増加
日本人と外国出身者の両方によって支えられている

●メモに書かれている情報をつないで、自然な日本語で説明できましたか？ では次に、以下のメモを見ながら、英語で「相撲」の説明をしてみてください。

English
Sumo: a traditional Japanese martial art
Who: two wrestlers wearing only a mawashi
Where: the ring
Rules: a wrestler loses if he is forced or falls out of the ring,
or anything other than the soles of his feet touch the ground
History: 114 years since it became Japan's national sport
Origin: mythical times
Ancient times: practiced as both an agricultural and a Shinto ritual
Edo Period: became a profession
regular sumo tournaments were held
establishment of the foundation of today's Grand Sumo tournaments
Currently: six tournaments a year held by the Japan Sumo Association
broadcast on TV, radio and the internet
the number of wrestlers from overseas is increasing
supported both by Japanese and by others with non-Japanese roots

リピーティング

▶ Exercise 2「相撲」

日本語でも英語でも、「相撲」について話せましたか？ 正しい発音やイントネーションで話せているか確認するために、ここで「ルーティン1」で音読した英文を使ってリピーティング練習をしましょう。

●英語の音声を聞きます。1文ごとにチャイムが鳴るので、直後のポーズで英語を繰り返しましょう。1回目は英文を見ながら、2回目はなるべく英文を見ないようにリピートします。

① Sumo is a traditional Japanese martial art. /

② In sumo, two wrestlers wearing only a “mawashi,” or loincloth, step into the ring. /

③ If a wrestler is forced or falls out of the ring, then that wrestler loses. /

④ A wrestler also loses if anything other than the soles of his feet touch the ground. /

⑤ It has only been 114 years since sumo became the country’s national sport. /

⑥ However, its origins actually date back to mythical times. /

⑦ In ancient days, sumo was practiced as both an agricultural and a Shinto ritual. /

⑧ In the Edo Period, sumo became a profession and regular tournaments were held. /

⑨ This was when the foundation for today’s Grand Sumo tournaments was established. /

⑩ Currently, the Japan Sumo Association holds six tournaments a year. /

⑪ The bouts are broadcast on TV, radio and the internet around the world. /

⑫ Recently, the number of wrestlers from overseas has been increasing. /

⑬ Sumo is now supported both by Japanese and by others with non-Japanese roots. /

1文ごとの通訳

▶Exercise 2「相撲」

では次に、日本語のナレーションを聞き、1文ごとに通訳してみましょう。難しく感じる場合は、「ルーティン2」のメモを見ながらでもかまいません。

●日本語の音声を聞きます。チャイムの直後のポーズで、英語で言ってみましょう(模範例は次ページにあります)。

① 相撲は日本の伝統的な格闘技です。/

② 相撲の取り組みでは、まわしのみを身に付けた二人の力士が土俵に上がります。/

③ 一方が土俵から出ると、その力士は負けです。/

④ また、足の裏以外の、身体の一部が土俵についても、負けです。/

⑤ 相撲は日本の国技となってからわずか114年です。/

⑥ しかしその起源は、神話の時代にまでさかのぼります。/

⑦ 古代には農耕儀礼や神事として行われていました。/

⑧ 江戸時代には相撲を職業とする人たちが現れ、定期的な興行がなされるようになりました。/

⑨ 今日の大相撲の基礎が確立されたのはこの頃です。/

⑩ 現在、日本相撲協会は年6回、興行を行っています。/

⑪ その様子はテレビ、ラジオ、インターネットで世界中へ届けられています。/

⑫ 最近では外国人力士も増えました。/

⑬ 相撲は今、日本人と外国出身者の両方によって支えられています。/

いかがでしたか? うまくいかなかった場合は、もう一度「ルーティン1」に戻って音読してみましょう。そして、この「ルーティン4」を再度試してみてください。

【模範例】

① Sumo is a traditional Japanese martial art.

② In sumo, two wrestlers wearing only a "mawashi," or loincloth, step into the ring.

③ If a wrestler is forced or falls out of the ring, then that wrestler loses.

④ A wrestler also loses if anything other than the soles of his feet touch the ground.

⑤ It has only been 114 years since sumo became the country's national sport.

⑥ However, its origins actually date back to mythical times.

⑦ In ancient days, sumo was practiced as both an agricultural and a Shinto ritual.

⑧ In the Edo Period, sumo became a profession and regular tournaments were held.

⑨ This was when the foundation for today's Grand Sumo tournaments was established.

⑩ Currently, the Japan Sumo Association holds six tournaments a year.

⑪ The bouts are broadcast on TV, radio and the internet around the world.

⑫ Recently, the number of wrestlers from overseas has been increasing.

⑬ Sumo is now supported both by Japanese and by others with non-Japanese roots.

英語で話す

▶Exercise 2「相撲」

最後に、1分程度で「相撲」について英語で話してください。細かい数字や固有名詞は覚えきれていないでしょうから、およその数字を言うか、省いても結構です。下の空欄に思いついた単語やフレーズを書き出しておいてから始めてもいいでしょう。

●タイマーを使って、「相撲」について1分間で話してください。自分の声を録音するのもいいでしょう。そのあとで次ページの模範例とその音声と比較します。

【模範例 A】

Sumo is a traditional Japanese martial art. In sumo, two wrestlers wearing only a "mawashi," or loincloth, step into the ring. If a wrestler is forced or falls out of the ring, then that wrestler loses. A wrestler also loses if anything other than the soles of his feet touch the ground.

It has only been 114 years since sumo became the country's national sport. However, its origins actually date back to mythical times. In ancient days, sumo was practiced as both an agricultural and a Shinto ritual. In the Edo Period, sumo became a profession and regular tournaments were held. This was when the foundation for today's Grand Sumo tournaments was established.

Currently, the Japan Sumo Association holds six tournaments a year. The bouts are broadcast on TV, radio and the internet around the world. Recently, the number of wrestlers from overseas has been increasing. Sumo is now supported both by Japanese and by others with non-Japanese roots.

【模範例 B】

Sumo is a traditional martial art of Japan. Two wrestlers, wearing only a "mawashi," step into the ring for a sumo bout. The wrestlers fight until one of them leaves the ring or until any part of their bodies except the soles of their feet touch the dirt floor of the ring.

Sumo has been recognized as Japan's national sport for only 114 years. But its origins date back to mythological times. In ancient times, sumo was practiced as both an agricultural ceremony and a Shinto ritual. In the Edo Period (1603-1867), professional sumo wrestlers emerged and began to perform on a regular basis. This became the start of Grand Sumo.

The Japan Sumo Association currently conducts sumo tournaments six times a year. The matches are broadcast on TV, radio and the internet now. The number of foreign wrestlers has also been increasing lately. This means that sumo is currently supported both by Japanese and non-Japanese.

※recognize A as B：AがBであると認める、受け入れる／
mythological times：神話の時代／conduct：～を行う、～を実施する

いかがでしたか？ うまく話せなかった方は、もう一度「ルーティン3」のリピーティングに戻って、丁寧に復習してみましょう。

解説

●ローマ字表記と英訳の二刀流で

次ページのColumnでも触れていますが、「相撲」のように日本古来のものは、定訳があってもなくても、外国人にわかってもらうのは、難しいものです。今回は「力士」をwrestlerとしましたが、日本相撲協会のホームページではrikishiと日本語をそのままローマ字表記してあります。その他、日本人でも相撲を見たことのない人にはわからないかもしれませんが、番付（banzuke）、相撲部屋（sumo beya）なども、日本語のまま、ローマ字表記されています。本書では、「まわし」は“mawashi,” or loinclothとしましたが、このように、日本語で言ったあとに英語を補足すれば（あるいは英語のあとに日本語でも）、丁寧でわかりやすいでしょう。

●トーナメントとtournamentの違い

日本語の「トーナメント」は、甲子園の高校野球のような勝ち抜き戦 (elimination tournament) のことを指すのが一般的です。一方、リーグ戦(round-robin tournament)という、すべての選手・チームが少なくとも1回は対戦するという試合方式もあります。英語のtournamentは、試合方法は関係なく、単なる「大会」という意味があるので、勝ち抜き戦ではないゴルフの大会のようなものでも、golf tournamentと言います。ここでは相撲の「興行」をtournamentと訳しました。大相撲では年6回行われる興行を「場所」と呼んでおり、「1月場所」は、英語で The January Tournamentと言います。

●「外国人」を何と言い表すか

日本人から見て日本国籍を持たない人を何と表現するかは、さまざまです。「外国人」は一般的ですが、「外人」には差別的なニュアンスがあるとされています。英語ではforeignerを思い浮かべるかもしれませんが、foreignには「異質な」という意味があることから、foreignerという言い方にも「よそ者」といった排他的なニュアンスを感じる人もおり、注意する必要があります。最近よく聞かれる表現としては、「日本人以外（外国）にルーツを持つ人（whose roots are other than Japanese）」という言い方があります。また、相撲の世界では、力士は日本の国籍を取得する人も多いので、「外国人力士」ではなく「外国出身力士」という言い方をするようになってきました。wrestlers from overseas, foreign wrestlers, non-Japanese wrestlersなどでもかまいません。本書ではothers with non-Japanese rootsとしました。

Column

どこまで英語に訳すべきか

日本古来のものや事象を英語にする際、どこまで英語らしく訳すか、またどこまで日本語のまま使うか、悩むところです。日常会話であれば相手に伝わりさえすればよいとも言えますが、通訳者はビジネスとしてお客さまを相手にしているので、公式的に正しい定型表現を使うことが求められます。

たとえば文中で出てくる「大相撲」はGrand Sumoと言います。これは「日本相撲協会」が主催する相撲の興行、つまり、プロの力士が行う相撲を指します。英語で説明を求められた時は、professional sumoと言い換えます。

また時代を表す表現も、しばしば出てきますが、いつからいつまでのどのような時代だったかを簡単に説明すると理解が深まります。たとえば「江戸時代」はEdo Periodだけでも間違いではありませんが、The Edo Period was from 1603 to 1867 and was ruled by the Tokugawa shogunate. The period is characterized by relative peace.（江戸時代は1603～1867年で、徳川幕府が統治していました。比較的、平和が続いた時代でした）などと付け加えると、親切です。皆さんの最終目的である「自分の英語で話す」ということを踏まえると、ちょっとした説明を英語で入れることをお勧めします。

ただし、日本語の発言を英語に通訳する場合、日本語と比較して英語が長いと「何か自分が言ったこと以外にも通訳者が英語で話しているのかな?」と不信感を持たれる可能性があるので注意が必要です。そのままEdo Periodと訳し、お客さまが「When was that? What was that period like?（それはいつ頃? どういう時代だったの?）」と聞き返されたら、通訳者はそれを日本語に訳し、日本語話者に説明してもらい、そのやり取りを通訳する方がいいかなと思います。

Exercise 3

「新幹線」

音読

▶Exercise 3「新幹線」

では「新幹線」について、英語で話せるように練習しましょう。

●「新幹線」について、聞き手に伝わるようはっきりと、わかりやすく、日本語と英語をそれぞれ声に出して読みましょう。あとで「新幹線」について話す際に、英語がすぐに出てきそうにない表現には、印を付けながら音読することをお勧めします。

「新幹線」

日本には、世界最高水準の新幹線という高速鉄道があります。1964年、東京オリンピックの開催に合わせ、東京と大阪を結ぶ東海道新幹線が完成しました。以来、全国へ路線が拡大されてきました。

山陽新幹線は東海道新幹線を延長する形で建設され、新幹線網を九州の博多までつなぎました。東北新幹線は首都圏と本州北部の東北地方をつなぐ動脈となりました。北陸新幹線は首都圏と日本海側を結びます。

新幹線の最高速度は時速320キロにまで達し、時間通りに運行されていることも誇れます。また、車内もよく整備されており、とてもきれいです。新幹線のシステムは海外に輸出されています。車両だけではなく、システムの安全を支えるソフトなどの技術も、貴重な輸出品です。

●模範となる日本語の音読例を聞きましょう。

019

Shinkansen

Japan has a world-class, high-speed railroad system called the Shinkansen. In 1964, the Tokaido Shinkansen line was completed between Tokyo and Osaka to accommodate the Tokyo Olympics. Since then, the line has been expanded throughout the country.

The Sanyo Shinkansen line was built as an extension of the Tokaido Shinkansen line, connecting the network to Hakata in Kyushu. The Tohoku Shinkansen line became an artery connecting the Tokyo metropolitan area with the Tohoku region in the north of Honshu. The Hokuriku Shinkansen line connects the Tokyo metropolitan area with the coastal area of the Sea of Japan.

The Shinkansen can reach speeds of up to 320 kilometers per hour and prides itself on being on time. In addition, the interior of the cars is well-maintained and very clean. The Shinkansen system is being exported to other countries. Not only the trains but the technology, including the system's safety-supporting software, is a valuable export.

●模範となる英語の音読例を聞きましょう。

Words & Phrases

the Tokaido Shinkansen line：東海道新幹線　※文中で何度か出てくるlineは「路線」の意味。

accommodate：～に合わせる、～に順応する　※動詞accommodateには複数の意味がある。例：This train can accommodate 100 passengers.（この列車は100人の乗客を収容できる）、We can accommodate passengers' requests.（私たちは乗客の希望に応えることができる）

artery：動脈　※日本語と同じく、解剖学的な意味以外に「幹線路」も示す。

Sea of Japan：日本海

320 kilometers per hour：時速320キロ　※「分速」はper minute、「秒速」はper second。

重要ポイントをつなぐ

▶ Exercise 3「新幹線」

それでは次に、重要な情報を箇条書きにしたメモを見ながら、日本語と英語で話してみましょう。

●「新幹線」について、重要ポイントを箇条書きにしました。以下のメモにあるポイントをつないで文章にし、日本語で「新幹線」を説明しましょう。自分の声を録音して、あとで聞いてみるのもよいでしょう。

日本語
新幹線＝世界最高水準の高速鉄道
•歴史：1964年＝東京－大阪の東海道新幹線が完成（東京オリンピック開催のため）
以降　＝全国に路線を拡大中
•種類：山陽新幹線＝東海道新幹線を、博多（九州）まで延長
東北新幹線＝首都圏と本州北部（東北地方）をつなぐ
北陸新幹線＝首都圏と日本海側をつなぐ
•特徴：最高速度320キロ／時が出せる
時間通りの運行を誇る
車内が整備されていて、きれい
•輸出：車両と安全を支えるソフトなどの技術

●メモに書かれている情報をつないで、自然な日本語で説明できましたか？ では、次に、以下のメモを見ながら、英語で「新幹線」を説明してみてください。

English

Shinkansen: a world-class, high-speed railroad system

History: 1964 = Tokaido Shinkansen line completed between Tokyo and Osaka to accommodate the Tokyo Olympics
Later = line expanded throughout the country

Lines: Sanyo Shinkansen line = built as an extension of the Tokaido Shinkansen line, connecting the Shinkansen network to Hakata in Kyushu
Tohoku Shinkansen line = became an artery connecting the Tokyo metropolitan area with the Tohoku region
Hokuriku Shinkansen line = connects the Tokyo metropolitan area with the coastal area of the Sea of Japan

Characteristics: can reach speeds of up to 320 kilometers per hour
being on time
interior of the cars well-maintained and very clean

Shinkansen system being exported:
not only trains but the technology a valuable export

リピーティング

▶ Exercise 3「新幹線」

日本語でも英語でも、「新幹線」について話せましたか？ 正しい発音やイントネーションで話せたか確認するために、ここで正しい英文をリピーティング練習しましょう。文章は「ルーティン１」で音読した英文です。

●英語の音声を聞きます。1文ごとにチャイムが鳴るので、直後のポーズで英語を繰り返しましょう。1回目は英文を見ながら、2回目はなるべく英文を見ないようにリピートします。

①Japan has a world-class, high-speed railroad system called the Shinkansen. /

②In 1964, the Tokaido Shinkansen line was completed between Tokyo and Osaka to accommodate the Tokyo Olympics. /

③Since then, the line has been expanded throughout the country. /

④The Sanyo Shinkansen line was built as an extension of the Tokaido Shinkansen line, connecting the network to Hakata in Kyushu. /

⑤The Tohoku Shinkansen line became an artery connecting the Tokyo metropolitan area with the Tohoku region in the north of Honshu. /

⑥The Hokuriku Shinkansen line connects the Tokyo metropolitan area with the coastal area of the Sea of Japan. /

⑦The Shinkansen can reach speeds of up to 320 kilometers per hour and prides itself on being on time. /

⑧In addition, the interior of the cars is well-maintained and very clean. /

⑨The Shinkansen system is being exported to other countries. /

⑩Not only the trains but the technology, including the system's safety-supporting software, is a valuable export. /

1文ごとの通訳

▶ Exercise 3「新幹線」

では次に、日本語のナレーションを聞き、1文ごとに通訳してみましょう。難しく感じる場合は、「ルーティン2」のメモを見ながらでもかまいません。

●日本語の音声を聞きます。チャイムのあとのポーズで、英語で言ってみましょう（模範例は次ページにあります）。

① 日本には、世界最高水準の新幹線という高速鉄道があります。/

② 1964年、東京オリンピックの開催に合わせ、東京と大阪を結ぶ東海道新幹線が完成しました。/

③ 以来、全国へ路線が拡大されてきました。/

④ 山陽新韓線は東海道新幹線を延長する形で建設され、新幹線網を九州の博多までつなぎました。/

⑤ 東北新幹線は首都圏と本州北部の東北地方をつなぐ動脈となりました。/

⑥ 北陸新幹線は首都圏と日本海側を結びます。/

⑦ 新幹線の最高速度は時速320キロにまで達し、時間通りに運行されていることも誇れます。/

⑧また、車内もよく整備されており、とてもきれいです。/

⑨新幹線のシステムは海外に輸出されています。/

⑩車両だけではなく、システムの安全を支えるソフトなどの技術も、貴重な輸出品です。/

いかがでしたか？ うまくいかなかった場合は、もう一度「ルーティン1」に戻って音読してみましょう。そして、この「ルーティン4」を再度試してみてください。

【模範例】

①Japan has a world-class, high-speed railroad system called the Shinkansen.

②In 1964, the Tokaido Shinkansen line was completed between Tokyo and Osaka to accommodate the Tokyo Olympics.

③Since then, the line has been expanded throughout the country.

④The Sanyo Shinkansen line was built as an extension of the Tokaido Shinkansen line, connecting the network to Hakata in Kyushu.

⑤The Tohoku Shinkansen line became an artery connecting the Tokyo metropolitan area with the Tohoku region in the north of Honshu.

⑥The Hokuriku Shinkansen line connects the Tokyo metropolitan area with the coastal area of the Sea of Japan.

⑦The Shinkansen can reach speeds of up to 320 kilometers per hour and prides itself on being on time.

⑧In addition, the interior of the cars is well-maintained and very clean.

⑨The Shinkansen system is being exported to other countries.

⑩Not only the trains but the technology, including the system's safety-supporting software, is a valuable export.

英語で話す

▶Exercise 3「新幹線」

最後に1分程度で「新幹線」について英語で話してください。細かい数字や固有名詞を覚えていない場合は、おおよその数字を言うか、省いても結構です。下の空欄に思いついた単語やフレーズを書き出しておいてから始めてもかまいません。

●タイマーを使って、「新幹線」について1分間で話しましょう。自分の声を録音するのもいいでしょう。そのあとで次ページの模範例とその音声と比較します。

【模範例 A】

Japan has a world-class, high-speed railroad system called the Shinkansen. In 1964, the Tokaido Shinkansen line was completed between Tokyo and Osaka to accommodate the Tokyo Olympics. Since then, the line has been expanded throughout the country.

The Sanyo Shinkansen line was built as an extension of the Tokaido Shinkansen line, connecting the network to Hakata in Kyushu. The Tohoku Shinkansen line became an artery connecting the Tokyo metropolitan area with the Tohoku region in the north of Honshu. The Hokuriku Shinkansen line connects the Tokyo metropolitan area with the coastal area of the Sea of Japan.

The Shinkansen can reach speeds of up to 320 kilometers per hour and prides itself on being on time. In addition, the interior of the cars is well-maintained and very clean. The Shinkansen system is being exported to other countries. Not only the trains but the technology, including the system's safety-supporting software, is a valuable export.

【模範例 B】

In Japan, there is a high-speed rail network called the Shinkansen, which is one of the world's most advanced high-speed rail systems. In 1964, the Tokaido Shinkansen connecting Tokyo and Osaka was completed in time for the Tokyo Olympics. The route has since been expanded throughout the country.

The Sanyo Shinkansen line was an extension of the Tokaido Shinkansen line, connecting the Shinkansen network to Hakata in Kyushu. The Tohoku Shinkansen serves as an artery connecting the Tokyo metropolitan area with the Tohoku region in northern Honshu. The Hokuriku Shinkansen line links the Tokyo metropolitan area with the coast next to the Sea of Japan.

Shinkansen trains can reach speeds of up to 320 kilometers per hour and the operators take pride in the trains being on time. Also, the interior of each car is kept very clean. The Shinkansen system is being exported to other countries. Not only the trains but also the technology, including the system's safety-supporting software, is being sold as a valuable export.

※in time for～：～に間に合うように、～に遅れないように

いかがでしたか？ うまく話せなかった方は、もう一度「ルーティン3」のリピーティングに戻って、丁寧に復習してみましょう。

解説

●「日本には〜がある」を言うときの2つの表現

英語で「日本には〜がある」と言いたい場合、どうセンテンスを始めますか？　たぶん真っ先に思い浮かぶのは、模範例BのようにIn Japan, there is a ... / we have a ... ではないでしょうか。もちろんこれでかまいませんが、模範例AのようにJapan has ... と始めることもできます。いろいろなパターンが使えるようになっておくといいでしょう。

●「世界最高水準の」の言い方いろいろ

何かが「世界最高水準の〜」という場合、模範例Aのようにworld-class 〜と言います。日本語を直訳したworld's highest level〜も使えます。模範例B では、one of the world's most advanced（世界で最も進歩的な/上級な/先端のものの一つ）という表現になっています。「水準」とは、それが唯一のものではないということから、one of theを追加したほうがいいでしょう。one of the world's bestとも言えます。

●覚えておきたい鉄道にまつわる表現

「新幹線」は、bullet train（弾丸列車）でもよいのですが、すでにShinkansenとして英語に定着しています。新幹線に対して在来線という言葉がありますが、これは、local trainと訳されます。また新幹線の「のぞみ号」、「ひかり号」は、それぞれNozomi Super Express、Hikari Super Expressと英語では表現されます。新幹線に乗るときに、英語の車内アナウンスに耳を傾けると、こうした情報が収集できますね。なお、鉄道関係で覚えておきたい表現として、「座席や切符などを予約する」はmake a reservation、「切符を受け取る」はpick up a ticket、「切符の払い戻しを受ける」は get a ticket refundedと言います。

Column

日本の地名を英語で言うとき

固有名詞は基本的に、ゆっくり、わかりやすく言うべきです。そもそも固有名詞は、母語で話そうと外国語で話そうと、大事な情報だからです。特に地名には要注意です。

英語のニュースを聞いていて、外国の地名が聞き取れず、そのあとで日本語字幕を見て、「なんだ、そんなの知ってるよ」と思ったことはありませんか？ 聞き取れない理由の一つとしては、英語ではカタカナ表記と全く違う発音をする、ということが挙げられます。よく知られた例としては、ウィーンはVienna [viénə]、ナポリはNaples [néɪplz]となる場合が、それにあたります。

聞き取れない2番目の理由としては、そもそも、その地名を日本語でも知らない、という場合もあります。例えばAlbuquerqueという都市の名前を知っていますか？ 日本語ではアルバカーキと言い、アメリカ・ニューメキシコ州にある原子力研究の最先端基地だったことでも知られています。知識がないと地名ということすら気づかずに、耳を素通りするかもしれません。

3番目の理由として、話者がその地名を素早く、不明瞭に発音したために聞き取れなかったということも考えられます。これは裏返せば、私たちが日本語の地名を英語で言うときも相手に伝わるように気を付ける必要がある、ということです。今回出てきた中では、Tokyo や Osaka は、英語圏の人にも比較的耳慣れた地名でしょうが、Hakata, Honshu, Tohoku, Hokurikuといった地名は、さほど知られていないでしょうから、聞き逃されるかもしれません。言う前に一息、ポーズを入れて、ゆっくり、大きな声で、はっきりと発音しましょう。

Exercise 4

「働き方改革」

音読

▶ Exercise 4「働き方改革」

第1章の最後に、「働き方改革」を英語で話せるようになりましょう。

●「働き方改革」について、聞き手に伝わるようはっきりと、わかりやすく日本語と英語をそれぞれ声に出して読みましょう。英語がすぐに出てきそうにない表現には、印を付けながら音読することをお勧めします。

「働き方改革」

現代の日本はさまざまな問題に直面しています。その1つが少子高齢化による生産年齢人口の減少です。この問題に対処するために、日本政府は、働き方改革という方針を打ち出しました。

第一に、政府は、より多くの人に働いてもらう必要があると考えています。これにより働きたい人が働ける社会をつくることができます。

第二に、若者人口の減少問題を解消するには、出生率を上げることが重要です。そのために政府は、子どもを産んだあとに女性がより働きやすい環境をつくろうとしています。

政府の三番目の目標は労働生産性を上げることです。労働時間が短いほど生産性が上がるという研究結果もあります。

政府は、多様な働き方のある社会の実現は、日本が今、直面する多くの労働問題を解決すると考えています。

●模範となる日本語の音読例を聞きましょう。

025

Work-Style Reform

Japan today faces a variety of problems. Among them is the decline in the working-age population due to the low birthrate and an aging population. The Japanese government has introduced a policy of work-style reform in order to address this problem.

According to the government, first, it is necessary to encourage more people to work. This will create a society where everyone who wants to work will be able to.

Second, in order to solve the problem of the declining youth population, it is important to increase the fertility rate. To make this possible, the government wants to create an environment that makes it easier for women to work after they have children.

The government's third objective is to increase labor productivity. Studies have found that higher productivity is achieved when people work for a shorter period.

The government believes that creating a society with diverse work styles will solve many of the labor issues Japan is now facing.

●模範となる英語の音読例を聞きましょう。

026

Words & Phrases

working-age population：生産年齢人口　※国内の生産活動に就いている中核の労働力となるような年齢の人口。経済協力開発機構（OECD）は15～64歳の人口と定義している。

aging population：（人口の）高齢化、高齢者人口

address：（問題に）取り組む、対処する

fertility rate：出生率

objective：目的、目標

labor productivity：労働生産性　※従業員1人当たりが生み出す付加価値を計る指標。

重要ポイントをつなぐ

▶ Exercise 4「働き方改革」

それでは次に、「働き方改革」について重要な情報を箇条書きにしたメモを見ながら、日本語と英語で話してみましょう。

●以下のメモにあるポイントをつないで文章にし、「働き方改革」を日本語で説明しましょう。自分の声を録音して、あとで聞いてみるのもよいでしょう。

日本語
•現代の日本の問題：少子高齢化による生産年齢人口の減少
•政府が考える対処法：働き方改革
•働き方改革の目的：
①：働き手を増やす
働きたい人が働ける社会をつくる
②：若者人口の減少問題を解消＝出生率を上げる
出産後に女性が働きやすい環境を
③：労働生産性を上げる
労働時間が短いほど生産性が上がるという研究結果
多様な働き方のある社会＝労働問題の解決

●では次に、以下のメモを見ながら、英語で「働き方改革」の説明をしてみてください。

English
One of the problems facing Japan:
decline in the working-age population due to the low birthrate and an aging population
Specific objectives:
1. to encourage more people to work → anyone who wants to work will be able to
2. to solve the problem of the declining youth population by increasing the fertility rate → create an environment that makes it easier for women to work after they have children
3. to increase labor productivity → higher productivity is achieved when people work for a shorter period
diverse work styles = solve labor issues in Japan

リピーティング

▶Exercise 4「働き方改革」

日本語でも英語でも、「働き方改革」について話せましたか？ 特に英語は、文にするのが難しいと思われた方もいらっしゃったかもしれません。ここで、正しい英文をリピーティングしましょう。「ルーティン1」で音読した英文です。

●英語の音声を聞きます。1文ごとにチャイムが鳴るので、直後のポーズで英語を繰り返しましょう。1回目は英文を見ながら、2回目はなるべく英文を見ないようにリピートします。

027

①Japan today faces a variety of problems. /

②Among them is the decline in the working-age population due to the low birthrate and an aging population. /

③The Japanese government has introduced a policy of work-style reform in order to address this problem. /

④According to the government, first, it is necessary to encourage more people to work. /

⑤This will create a society where everyone who wants to work will be able to. /

⑥Second, in order to solve the problem of the declining youth population, it is important to increase the fertility rate. /

⑦To make this possible, the government wants to create an environment that makes it easier for women to work after they have children. /

⑧The government's third objective is to increase labor productivity. /

⑨Studies have found that higher productivity is achieved when people work for a shorter period. /

⑩ The government believes that creating a society with diverse work styles will solve many of the labor issues Japan is now facing. /

12
9
3
6

1文ごとの通訳

▶Exercise 4「働き方改革」

では次に、日本語のナレーションを聞き、1文ごとに通訳してみましょう。難しく感じる場合には、「ルーティン2」のメモを見ながらでもかまいません。

●日本語の音声を聞きます。チャイムのあとのポーズで、英語で言ってみましょう（模範例はp. 66にあります）。

① 現代の日本はさまざまな問題に直面しています。/

② その1つが少子高齢化による生産年齢人口の減少です。/

③ この問題に対処するために、日本政府は、働き方改革という方針を打ち出しました。/

④ 第一に、政府は、より多くの人に働いてもらう必要があると考えています。/

⑤ これにより働きたい人が働ける社会をつくることができます。/

⑥ 第二に、若者人口の減少問題を解消するには、出生率を上げることが重要です。/

⑦ そのために政府は、子どもを産んだあとに女性がより働きやすい環境をつくろうとしています。/

⑧ 政府の三番目の目標は労働生産性を上げることです。/

⑨ 労働時間が短いほど生産性が上がるという研究結果もあります。/

⑩ 政府は、多様な働き方のある社会の実現は、日本が今、直面する多くの労働問題を解決すると考えています。/

いかがでしたか？ p. 66の模範例で、ご自分の訳出した英語と比べてみてください。全然できなかったな、という場合は、もう一度、「ルーティン1」の音読に戻って練習をし、この「ルーティン4」を再度試してみてください。

Column

表現リストを作る習慣を

通訳者はさまざまな現場に立ち会います。そんなとき、「今回は環境の会議だから、環境についてだけ勉強しておこう」というわけにはいきません。どう話が展開しても通訳ができるよう、想像力を働かせて、なるべく広く浅く、環境周辺のトピックについて情報を集めておくのです。もちろん、最低限、やっておかなければいけないことはあります。例えば、環境に関する用語を押さえる、事前に送られてきた資料に目を通す、表現リストを作って繰り返し対訳を言ってみる、といったことです。

政府関連の通訳の仕事をする場合、政策や方針は、自分にとって身近なものもあれば、そうでないものもあります。ですから常日頃から、ニュースを視聴する習慣を付け、新聞を読み、知識をストックしておく必要があります。私は、テレビでニュースを見るとき、英語の副音声を聞くようにしています。日本語は、日本語字幕を見て確認できます。

また、政府関連の情報は首相官邸のホームページに行けば、日本語でも英語でも出てきます。これを活用し、自分の表現リストを作るようにするといいでしょう。日本語と対応する英語をエクセルファイルなどにまとめて簡易な辞書を作り、それを繰り返し読み上げ、覚えていくようにすると、実践的な単語力が身に付きます。

【模範例】

①Japan today faces a variety of problems.

②Among them is the decline in the working-age population due to the low birthrate and an aging population.

③The Japanese government has introduced a policy of work-style reform in order to address this problem.

④According to the government, first, it is necessary to encourage more people to work.

⑤This will create a society where everyone who wants to work will be able to.

⑥Second, in order to solve the problem of the declining youth population, it is important to increase the fertility rate.

⑦To make this possible, the government wants to create an environment that makes it easier for women to work after they have children.

⑧The government's third objective is to increase labor productivity.

⑨Studies have found that higher productivity is achieved when people work for a shorter period.

⑩ The government believes that creating a society with diverse work styles will solve many of the labor issues Japan is now facing.

英語で話す

▶ Exercise 4「働き方改革」

最後に1分程度で「働き方改革」について英語で話しましょう。今までの英文をそのまま口に出す必要はないので、文章はシンプルに、表現も自信を持って使えるものを選びましょう。次ページでは「ルーティン4」で示した英文を連続して模範例Aとして収録してあります。また、同じ内容を別の言葉で表現した模範例Bも参考にしましょう。

●タイマーを使って、「働き方改革」について1分間で話しましょう。自分の声を録音するのもいいでしょう。そのあとで次ページの模範例とその音声と比較します。

【模範例 A】

Japan today faces a variety of problems. Among them is the decline in the working-age population due to the low birthrate and an aging population. The Japanese government has introduced a policy of work-style reform in order to address this problem.

According to the government, first, it is necessary to encourage more people to work. This will create a society where everyone who wants to work will be able to.

Second, in order to solve the problem of the declining youth population, it is important to increase the fertility rate. To make this possible, the government wants to create an environment that makes it easier for women to work after they have children.

The government's third objective is to increase labor productivity. Studies have found that higher productivity is achieved when people work for a shorter period.

The government believes that creating a society with diverse work styles will solve many of the labor issues Japan is now facing.

【模範例 B】

Present-day Japan faces a number of issues. One of these is the declining working-age population due to a falling birthrate and an increasingly aging population. In order to address this problem, the Japanese government has set out a policy of reforming the way people work.

Firstly, the government wants more people to work. It believes it is essential to build a society in which anyone who desires to work can do so.

Secondly, to solve the problem of the falling youth population, the government believes it is necessary to increase the fertility rate. In order for this to be achieved, it is imperative to create an environment in which women can work more easily after having a child.

The third government objective is to increase labor productivity. Productivity increases when results are achieved in a shorter period of time.

The government is hoping that the implementation of diverse work styles for workers may help to resolve Japan's existing labor issues.

※present-day：今日の／imperative：必要不可欠の／implementation：遂行、実現、導入

いかがでしたか？ うまく話せなかった方は、もう一度「ルーティン3」のリピーティングに戻って、丁寧に復習してみましょう。

解説

●定訳がわからないとき、どうすればいい？

今回のトピックには、「生産年齢人口」(working-age population)、「働き方改革」(work-style reform)、「労働生産性」(labor productivity)といった用語が出てきました。これらの日本語には、英語の定訳(公式に定められている英訳)があります。常に辞書に当たれるのであれば、それにこしたことはありませんが、新語は辞書には掲載されていないこともあります。インターネットで調べると手っ取り早いのですが、どのサイトのものが定訳か迷うこともあります。

今回のトピックであれば、政府や大手メディアがどう訳しているかを調べ、それを使うといいでしょう。しかし、話している間に定訳が思いつかず、調べている暇がないのに説明しなければならない、というときは、別の表現を使うしかありません。日本語でその用語の意味がわかっていれば、それを英語に訳して伝えればいいでしょう。「生産年齢人口」であれば、the number of people in the age group that can work(働ける年齢の集団にいる人の数)、「働き方改革」であれば、government's policy to revisit [reconsider, reexamine] the way people work(働き方を再検討する政府の方針)、「労働生産性」であれば、how productive the workforce is(その労働力がいかに生産的であるか)などと説明すれば伝わるでしょう。

●どの名詞がどの動詞を取るのか

名詞が思い浮かんでも、どの動詞と一緒に使えばいいかが思いつかないこともあるでしょう。ある語とよく一緒に使われる、語のつながりのことを「コロケーション」と言い、このコロケーションがわからないと、せっかく覚えた単語を文の中で使いこなせません。今回は「方針を打ち出しました」を、introduced a policy、またset out a policyと英訳しました。policyは他に、どういう動詞と一緒に使えるのだろう？ と思ったら、コロケーション辞典を引いてみることをお勧めします。政策を「打ち出す」とは、日本語の「作る」に近いのかな、とだいたいの当たりを付けて引いてみると、辞書ではやはりcreate, design, develop, devise, draft, formulate, make, planなどの動詞が紹介されています。また、思い浮かんだ introduce a policyというフレーズを検索エンジンに入力してみて、信頼できるサイトが使っているようであれば、使える英語表現と判断してもいいでしょう。

第2章

中級編
英語でプレゼンする力を身に付ける

ここでは、より実践的な場面を設定して、スライド資料を使いながら聴衆に向けてプレゼンテーションをする練習をします。物の作り方の手順や自分が住む街、働く会社などについて、英語で話せるようになりましょう。

この章の学び方

「食品サンプルとは?」

まず、第2章の学習手順についてご説明しましょう。この本では、通訳者養成メソッドを基にした「5つのルーティン」で、英語を話す力と聞く力を身に付けます。第2章も1章と同じく、ルーティン1：音読、ルーティン2：重要ポイントをつなぐ、ルーティン3：リピーティング、ルーティン4：1文ごとの通訳、ルーティン5：英語で話す、となります。ただしルーティン2は、第1章のメモとは異なり、プレゼンテーションのスライドを見ながら学びます。最終目標は、ここでも、取り上げたトピックについて、自分の英語で語れるようになることです。

第1章を経て、英語で話す前に、話そうとする内容について知識を仕入れておかなければならないことを実感なさったのではないでしょうか。第2章では、より実践的に、場面を設定して、相手にプレゼンテーションする練習をします。まずは、いまや日本の文化とも言える「食品サンプル」(店頭に陳列される料理の模型)を海外からのお客さまに通訳案内士が説明する場面を取り上げます。

通訳案内士の仕事は、日本の事象や日本特有の物を外国語でわかりやすく説明することです。「5つのルーティン」を使って、食品サンプルについて英語でプレゼンテーションできるようになりましょう。

音読

今回の設定は、通訳案内士が、海外からのお客さまを食事に連れていく前に、飲食店の店頭にある食品サンプルについて説明するというものです。その前提として、日本語と英語の資料を音読し、食品サンプルについての知識を得てください。内容を頭に入れることが優先ですが、英語ではどのように表現するのかにも注目しながら、音読しましょう。

●「食品サンプル」について聞き手に伝わるよう、はっきりと、わかりやすく、以下の日本語と英語をそれぞれ声に出して読みましょう。あとで「食品サンプル」について語る際に、英語がすぐに出てきそうにない表現には、印を付けておきましょう。

「食品サンプルとは？」

日本では飲食店の入り口に、食品サンプルが飾られているところがあります。食品サンプルとは、食べ物そっくりの模型で、だいたいは合成樹脂で作られています。お客さまが食べたいものを選ぶときに役立ちます。どのような食べ物がどのくらいの量で出てくるかがわかるのです。日本語のメニューしかない飲食店が多いので、特に海外からのお客さまには便利です。

では、食品サンプルの代表的な作り方を説明します。まずメーカーが、食品の実物見本にシリコンをかけて型を作ります。その型に樹脂が流し込まれ、そのあとオーブンで固められます。次に、固まったパーツが型から取り出されます。そして本物の食品そっくりに着色されます。パーツは食器に盛り付けられ、固定されます。

食品サンプルがとてもリアルで、おいしそうに見え、びっくりされるでしょう。あまりにリアルなので、多くの観光客が、お土産に買って帰りたがるほどです。さまざまなサイズの食品サンプルを売っている専門店まであり、中にはキーホルダーになっているものもあります。また、食品サンプルが自分でつくれるところもあります。

●模範となる日本語の音読例を聞きましょう。

031

What are food replicas?

Food replicas are displayed at the entrances of some restaurants in Japan. They are lifelike food models often made from synthetic resin. Food replicas are useful for customers choosing what they want to eat. They show them what kind of food they will be served and in what quantity. This is especially useful for customers from overseas because many restaurants here only have menus written in Japanese.

Now, I will explain the typical steps in making a food replica. First, the maker covers an actual food sample in silicone to create a mold. Resin is poured into the mold, which is then hardened in an oven. Next, the firm parts are removed from the mold. They are then colored to resemble the real food item. The parts are then positioned on a dish and fixed.

I am sure you will be amazed at how realistic and delicious the food replicas look—so realistic, in fact, that many tourists want to buy food replicas to take back home. There are even specialty stores that sell various sized food replicas, with some of them on keychains. There are also places where you can make food replicas yourself.

●模範となる英語の音読例を聞きましょう。

Words & Phrases

food replica：食品サンプル
lifelike：実物そっくりな
synthetic resin：合成樹脂
silicone：シリコン
mold：型
harden：～を固める
specialty store：専門店
keychain：キーホルダー

重要ポイントをつなぐ ▶この章の学び方「食品サンプルとは?」

次に、スライド資料を見ながら、日本語を声に出して、わかりやすく食品サンプルの説明をしてみてください。第1章の「ルーティン2」に似ていますが、今回はパワーポイントのスライドが何枚かあります。自分が通訳案内士の加藤尚さんになったつもりで、目の前に観光客がいるという場面を想像し、資料に書いてある内容だけではなく、話を膨らませて、自由に説明してみましょう。

●「食品サンプル」についてプレゼンテーションする際の重要ポイントが、以下のスライドに書かれています。ポイントをつないで文章にし、「食品サンプル」を日本語で説明しましょう。登場人物になりきって、聞き手がいることを意識して、話してみてください。自分の声を録音して、あとで聞いてみるのもよいでしょう。

スライド①

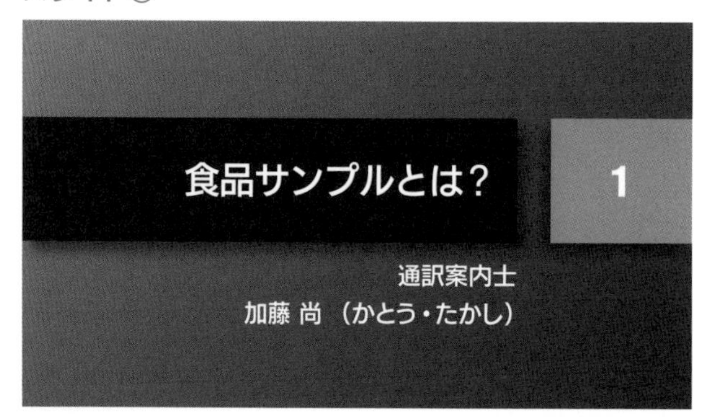

スライド②

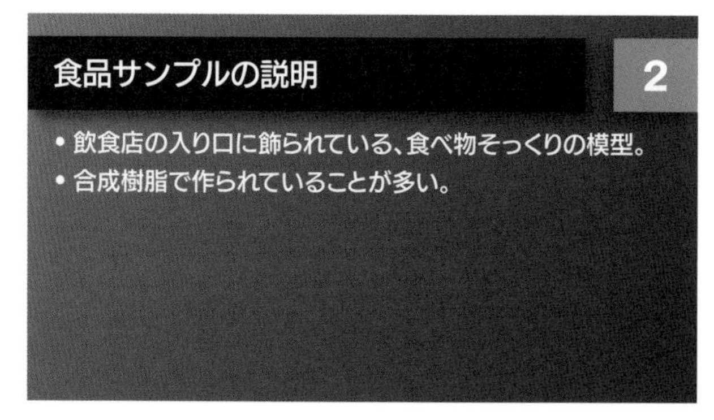

スライド③

食品サンプルは何のため？ 3

- 食べたいものを選ぶときに役立つ。
- どのような料理がどのくらいの量で出てくるのかがわかる。
- 特に海外からのお客さまには便利。

スライド④

食品サンプルはどうやってできる？ 4

- メーカーがシリコンで型を作る。
- 型に樹脂が流し込まれ、オーブンで固められる。
- 固まったパーツを型から取り出す。
- 本物そっくりに着色する。
- パーツを食器に盛り付け、固定する。

スライド⑤

食品サンプルを楽しもう 5

- 観光客の多くが、お土産に買って帰りたがる。
- さまざまなサイズの食品サンプルやキーホルダータイプのものを売る専門店がある。
- 自分でつくれるところもある。

●では次に、同じことを英語のスライドでもやってみます。スライドにある重要ポイントをつないで、「食品サンプル」について英語でプレゼンテーションしましょう。日本語の時と同じく、聞き手がいることを意識して、話してみてください。

スライド①

スライド②

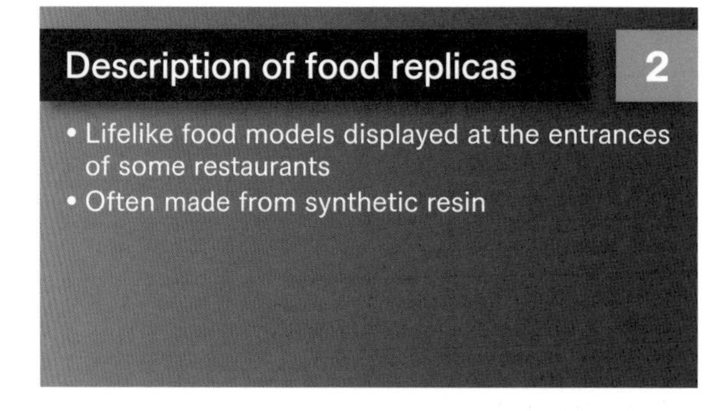

スライド③

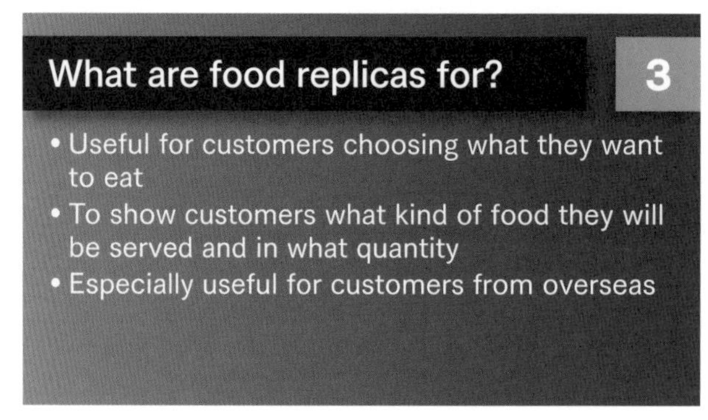

スライド④

How are food replicas made? 4

- A maker creates a silicone mold.
- Resin is poured into the mold and hardened in an oven.
- Firm parts are removed from the mold and are colored.
- Parts are positioned on a dish and fixed.

スライド⑤

How to enjoy food replicas 5

- Many tourists want to take them back home.
- There are specialty stores that sell various sized food replicas — some of them on keychains.
- There are places where you can make food replicas.

リピーティング

▶この章の学び方「食品サンプルとは?」

日本語でも英語でも、食品サンプルについて話すことができましたか？ 食品サンプルのことは知っていても、作り方まではご存知なかったかもしれませんね。こうした知識がないと日本語でも英語でも話せないということが、改めておわかりいただけたと思います。

では皆さんもここで、通訳案内士の加藤尚さんになりきって、英語で「食品サンプル」の説明をしてください。「ルーティン1」で音読した内容だけではなく、自己紹介やあいさつも含まれています。

033-037

●**英語の音声を聞きます。1文ごとにチャイムが鳴るので、直後のポーズで英語を繰り返しましょう。できるだけ、イントネーション、ポーズ、強調をまねてください。**

スライド①

1. Welcome to Japan. /
2. I am Takashi Kato, a licensed guide interpreter. /
3. The job of a licensed guide interpreter is to introduce Japan to people from overseas. /
4. We are going to have a meal at a regular Japanese restaurant. /
5. You will see food replicas at the entrance of the restaurant that look just like actual food. /

スライド②

6. Before actually seeing the food replicas, let me give you an explanation. /
7. They are lifelike food models often made from synthetic resin. /

スライド③

8. Food replicas are useful for customers choosing what they want to eat. /
9. They show them what kind of food they will be served and in what quantity. /

10. This is especially useful for customers from overseas because many restaurants here only have menus written in Japanese. /

スライド④

11. Now, I will explain the typical steps in making a food replica. /
12. First, the maker covers an actual food sample in silicone to create a mold. /
13. Resin is poured into the mold, which is then hardened in an oven. /
14. Next, the firm parts are removed from the mold. /
15. They are then colored to resemble the real food item. /
16. The parts are then positioned on a dish and fixed. /

スライド⑤

17. I am sure you will be amazed at how realistic and delicious the food replicas look— /
18. so realistic, in fact, that many tourists want to buy food replicas to take back home. /
19. There are even specialty stores that sell various sized food replicas, with some of them on keychains. /
20. There are also places where you can make food replicas yourself. /
21. So, if you are interested, please let me know. /
22. But first, let's head for our meal. /

1文ごとの通訳

▶この章の学び方「食品サンプルとは?」

では次に、「ルーティン3」の英語をベースにした、日本語の音声を聞きます。直後のポーズ(間)で英語の訳を言いましょう。時間内に、正しい表現で構文を組み立てるよう心がけます。「ルーティン2」の日本語もしくは英語のスライドを見ながらでもかまいません。うまくいかなかった場合は、もう一度「ルーティン1」の原稿の音読をして、この「ルーティン4」を再度試してみてください。最後に模範例と比較してみましょう。

●日本語の音声を聞きます。チャイムの直後のポーズで、英語で言ってみましょう(模範例はpp. 84-85にあります)。

038-042

スライド①

1. 日本へようこそいらっしゃいました。/
2. 私は、通訳案内士の加藤尚(かとう・たかし)です。/
3. 通訳案内士の仕事は、外国からお越しの皆さんに、日本をご紹介することです。/
4. これから、日本の一般的なお店で食事をします。/
5. お店の入り口には食べ物そっくりの食品サンプルがあります。/

スライド②

6. 実際に食品サンプルをご覧になる前に、説明しましょう。/
7. 食品サンプルとは、食べ物そっくりの模型で、だいたいは合成樹脂で作られています。/

スライド③

8. お客さまが食べたいものを選ぶときに役立ちます。/
9. どのような食べ物がどのくらいの量で出てくるかがわかるのです。/
10. 日本語のメニューしかない飲食店が多いので、特に海外からのお客さまには便利です。/

スライド④

11. では、食品サンプルの代表的な作り方を説明します。/
12. まずメーカーが、食品の実物見本にシリコンをかけて型を作ります。/
13. その型に樹脂が流し込まれ、そのあとオーブンで固められます。/
14. 次に、固まったパーツが型から取り出されます。/

15. そして本物の食品そっくりに着色されます。/
16. パーツは食器に盛り付けられ、固定されます。/

スライド⑤
17. 食品サンプルがとてもリアルで、おいしそうに見え、びっくりされるでしょう。/
18. あまりにリアルなので、多くの観光客が、お土産に買って帰りたがるほどです。/
19. さまざまなサイズの食品サンプルを売っている専門店まであり、中にはキーホルダーになっているものもあります。/
20. また、食品サンプルが自分でつくれるところもあります。/
21. ご興味のある方は、お知らせください。/
22. でも、まずは、お食事に向かいましょう。/

Column

ディスコースマーカーを使いこなそう

今回の課題では、第2段落に、食品サンプルの作り方の手順(procedures/process)を説明が出てきました。手順に従って(follow the procedures)作業をすることを、相手にわかりやすく説明するためには、「まずは」(first)、「次に」(next)などを使うことはご存じでしょう。これらを「ディスコースマーカー」(discourse marker)と言い、文の展開や、あとに続く文の方向性を示す重要な役割を担います。通訳の現場でも、相手の英語の中にこの単語やフレーズが出てくると、ストーリーの展開が予測(anticipate)できるので、聞き逃さないように細心の注意を払うようにしています。自分で話すときにも、あえて長い文を作らず、ディスコースマーカーを使って短文をつなげるようにすると、聞き手にもわかりやすく、伝わりやすいでしょう。

何かの具体例を示すときは、「たとえば」(for example/for instance)というディスコースマーカーをまず使います。具体例が複数ある場合には、それぞれの頭にfirstly/secondly/finallyといった単語を付けます。逆接的なことを言おうと思ったら、「しかし」にあたるbut/however/although、対比を表現したければ、on the other hand/meanwhile/insteadなどが使えます。自分が言ったことが、本当に伝わっているか不安な場合は、堂々とin short/ in other wordsと前置きしてから、同じ内容を別の表現で言い換える(paraphrase)といいでしょう。また、説明やスピーチの締めくくりを示すものとしてin conclusion/in closing/to wrap up/as a final observation/to sum up/in summaryなどが使えます。

【模範例】

スライド①

1. Welcome to Japan.
2. I am Takashi Kato, a licensed guide interpreter.
3. The job of a licensed guide interpreter is to introduce Japan to people from overseas.
4. We are going to have a meal at a regular Japanese restaurant.
5. You will see food replicas at the entrance of the restaurant that look just like actual food.

スライド②

6. Before actually seeing the food replicas, let me give you an explanation.
7. They are lifelike food models often made from synthetic resin.

スライド③

8. Food replicas are useful for customers choosing what they want to eat.
9. They show them what kind of food they will be served and in what quantity.
10. This is especially useful for customers from overseas because many restaurants here only have menus written in Japanese.

スライド④

11. Now, I will explain the typical steps in making a food replica.
12. First, the maker covers an actual food sample in silicone to create a mold.
13. Resin is poured into the mold, which is then hardened in an oven.
14. Next, the firm parts are removed from the mold.
15. They are then colored to resemble the real food item.
16. The parts are then positioned on a dish and fixed.

スライド⑤

17. I am sure you will be amazed at how realistic and delicious the food replicas look—
18. so realistic, in fact, that many tourists want to buy food replicas to take back home.
19. There are even specialty stores that sell various sized food replicas, with some of them on keychains.
20. There are also places where you can make food replicas yourself.
21. So, if you are interested, please let me know.
22. But first, let's head for our meal.

英語で話す

▶ この章の学び方「食品サンプルとは?」

　最後に通訳案内士の立場から、海外からのお客さまに「食品サンプル」について英語で話してみましょう。ここまでに学んだ英語と同じでなくてもかまいません。文章は、複雑ではないものを作るように心がけ、表現も自信を持って使えるものを選びましょう。通訳案内士は資料なしに行うでしょうが、ここでは以下の日本語のスライドを参考にしてください(英語版のスライドが間に合わず、日本語のものを使って英語にしていくことは現場でよくあります)。スライド横のスペースに、あらかじめキーワードなどを書いておくのもいいでしょう。

●「食品サンプル」について、相手に話しかけるように、自分の英語でプレゼンテーションしてみましょう。自分の声を録音するのもいいでしょう。そのあとで模範例のスクリプトおよび音声と比較してみてください(ここまでで学んだ模範例Aと、少し異なる単語と構文を使った模範例Bがあります)。先に模範例を確認してから、この「ルーティン5」をやってみてもかまいません。

スライド①

スライド②

食品サンプルの説明　2

- 飲食店の入り口に飾られている、食べ物そっくりの模型。
- 合成樹脂で作られていることが多い。

スライド③

食品サンプルは何のため？ 3

- 食べたいものを選ぶときに役立つ。
- どのような料理がどのくらいの量で出てくるのかがわかる。
- 特に海外からのお客さまには便利。

スライド④

食品サンプルはどうやってできる？ 4

- メーカーがシリコンで型を作る。
- 型に樹脂が流し込まれ、オーブンで固められる。
- 固まったパーツを型から取り出す。
- 本物そっくりに着色する。
- パーツを食器に盛り付け、固定する。

スライド⑤

食品サンプルを楽しもう 5

- 観光客の多くが、お土産に買って帰りたがる。
- さまざまなサイズの食品サンプルやキーホルダータイプのものを売る専門店がある。
- 自分でつくれるところもある。

【模範例 A】

スライド①
Welcome to Japan. I am Takashi Kato, a licensed guide interpreter. The job of a licensed guide interpreter is to introduce Japan to people from overseas. We are going to have a meal at a regular Japanese restaurant. You will see food replicas at the entrance of the restaurant that look just like actual food.

スライド②
Before actually seeing the food replicas, let me give you an explanation. Food replicas are lifelike food models often made from synthetic resin.

スライド③
Food replicas are useful for customers choosing what they want to eat. They show them what kind of food they will be served and in what quantity. This is especially useful for customers from overseas because many restaurants here only have menus written in Japanese.

スライド④
Now, I will explain the typical steps in making a food replica. First, the maker covers an actual food sample in silicone to create a mold. Resin is poured into the mold, which is then hardened in an oven. Next, the firm parts are removed from the mold. They are then colored to resemble the real food item. The parts are then positioned on a dish and fixed.

スライド⑤
I am sure you will be amazed at how realistic and delicious the food replicas look—so realistic, in fact, that many tourists want to buy food replicas to take back home. There are even specialty stores that sell various sized food replicas, with some of them on keychains. There are also places where you can make food replicas yourself. So, if you are interested, please let me know. But first, let's head for our meal.

※licensed guide interpreter：＊正式にはNational Government Licensed Guide Interpreter（全国通訳案内士）

【模範例 B】

スライド①
Thank you for your interest in Japan. My name is Takashi Kato, and I am a licensed guide interpreter. The role of a licensed guide interpreter is to introduce Japan to people from other countries. You will be dining at a typical Japanese restaurant. At the restaurant entrance, you will see food replicas that appear very similar to the food you are about to eat.

スライド②
Prior to showing you the actual food replicas, I will provide you with an explanation. Food replicas are lifelike food models, mostly made from synthetic resin.

スライド③
They are useful when it comes to selecting the food you want to eat. You can see what kind of food you will get and in what quantity if you order it. This is particularly useful for non-Japanese speakers at restaurants that only have menus written in Japanese.

スライド④
Let me now explain the typical process of making a food replica. The maker covers an actual food sample in silicone to create a mold. Resin is then poured into the mold, and solidified in the oven. Next, the hardened parts are removed from the mold and colored to look like the genuine food. These parts are then secured on a dish.

スライド⑤
When you see the food replicas in a moment, you'll be amazed how genuine they look. Lately more and more people seem to want to purchase food replicas as souvenirs to take back home. Some shops specialize in selling food replicas, both life-size and tiny as well as on keychains. You can also find places where you can try making your own food replicas, So, please let me know if you are interested. But first, let's go and have our meal.

※solidify：～を固める、～を凝固させる

解説

・「ようこそ」のニュアンス

「日本へようこそいらっしゃいました」という冒頭のあいさつは、来日を歓迎し、感謝し、ねぎらう表現です。英語では、Welcome to Japan.が定番で、これはビジネスなどの正式な場でも、友人同士の会話でも使えます。このwelcomeという言葉は、「どうぞ入ってください」(Please come in.)、「おかえりなさい」(Welcome home.)、「どういたしまして」(You're welcome.)といった幅広い意味があります。

模範例Bでは「日本へようこそいらっしゃいました」をThank you for your interest in Japan.(日本に興味を持ってくださってありがとうございます)としました。これはかなり正式な場で使われます。全国通訳案内士がお客さまに言う言葉としては、やや硬いのですが、使ってもおかしくはありません。

一方、くだけた感じになるのが、Thank you for coming.です。これは文字通り、「来てくれてありがとう」というニュアンスです。もっとくだけると、Great to see you.(会えてうれしいよ)、Great to have you here.(来てくれてうれしいよ)などとなります。親しい人同士、あるいは少なくとも面識がある人同士でないと、失礼にあたる可能性があります。どういう人に、どのような場面で言うかを考えて、使い分けたいですね。

・食事をするところはレストラン?

飲食店を指す言葉は、日本語でも英語でもいろいろあります。ここでは、日本の「一般的なお店」で食事をし、その「お店」の入り口に食品サンプルが置いてあるという設定です。この部分を英語ではrestaurantとしています。日本語で「レストラン」と言うと、食品サンプルがあるようなお店というよりも、比較的、高級感があって、西洋料理やその他の外国料理を出す、雰囲気も外国風で、お店の人が注文を聞き、料理を運んできてくれるところを想像するのではないでしょうか。ところが、英語のrestaurantはもっと守備範囲が広く、料理を提供し、通常、飲食後に会計をするところであれば、restaurantと呼びます。また、提供する料理の種類によってChinese restaurant (中華料理店)、Vietnamese restaurant(ベトナム料理店)などと使い分けます。

なお、Japanese restaurantと言うと、日本食 (Japanese food/cuisine)を提供する飲食店のことを指すので、「日本料理屋」、「和食店」と訳せますが、実際には料亭から庶民的な飲み屋のようなところまで、全てで使えます。すし屋もJapanese restaurantの一つですが、sushi restaurant [bar, shop]という言い方もあります。さらなる区別の仕方としては、カウンターがある店をbar、比較的、庶民的な店にshopを使います。

食品サンプルは食べたい物を選ぶときに便利。

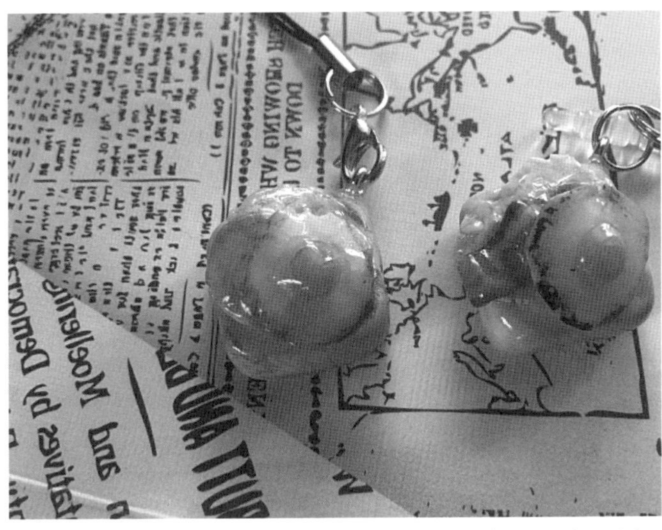

キーホルダー型の食品サンプルも人気。

Exercise 1
「下北沢へようこそ！」

日本には魅力的な場所がたくさんあります。ここでは外国人に訪れてほしい場所を説明するという設定で練習してみましょう。東京都世田谷区にある下北沢は、独自の文化を持つ、人気の街です。地域ボランティアの若者が説明している場面を想像し、「５つのルーティン」で、英語で下北沢をプレゼンテーションできるようになりましょう。

音読

▶ Exercise 1「下北沢へようこそ！」

実際に下北沢を訪れたことがある方は、街を思い浮かべながら音読してみましょう。訪れたことのない方は、事前に写真などを見てからイメージを膨らませ、音読するといいでしょう。内容を頭に入れることが優先ですが、英語ではどのように表現するのかに注意しながら、読み進めるといいでしょう。

下北沢の中心にある
「一番街」商店街

●下北沢についてのプレゼンテーションです。聞き手に伝わるよう、はっきりと、わかりやすく、以下の日本語を声に出して読みましょう。

「下北沢へようこそ！」

東京都世田谷区の下北沢には、いくつもの魅力があります。ビンテージ物、独自のカルチャー、カフェ＆グルメ、音楽といったものです。

まず、小さなおしゃれな店がたくさんあって、古着やユニークなグッズを売っています。掘り出し物を探すのも楽しいでしょう。

２つめに下北沢の独自のアートカルチャーを体験できます。文学や演劇、そしてお笑いライブを楽しめます。

下北沢には、たくさん、おしゃれな飲食店や隠れ家的なカフェがあります。そういうところで過ごすのもお薦めです。また、多種多様なおいしいレストランもあります。カレーは下北沢の名物ですが、ほかにもいろいろなエスニック料理が堪能できます。下北沢の飲食店はかなり小さいところが多いのです。目当てのお店がそう簡単には見つからないかもしれません！

また、下北沢に来たら、いろいろな形で音楽を楽しむことができます。いつもたくさん、生の音楽イベントをやっていて、レコードが聞けるバーもあります。ジャズバーも多いので、ジャズファンだったらぜひ、下北沢に来てください！

●模範となる日本語の音読例を聞きましょう。

045

●次に以下の英語を音読してください。ゆっくり、はっきりと、相手に伝わるように心がけましょう。あとで下北沢について語る際に、英語がすぐに出てきそうにない表現には、印を付けておくといいでしょう。

Welcome to Shimokitazawa!

There are many charms in Shimokitazawa, a neighborhood located in Setagaya, Tokyo. Among them are vintage goods, unique culture, cafes and high-quality dining and music.

First of all, the neighborhood has a lot of trendy little shops selling vintage clothes and novelty goods. You can have a great time searching for good buys.

Second, you can experience Shimokitazawa's unique artistic culture. You can enjoy literature, theater and many live comedy performances.

The neighborhood boasts numerous stylish restaurants and hidden cafes. I recommend hanging out in these places. There is also a wide variety of high-quality restaurants. Curry is a Shimokitazawa specialty, but you can also indulge in a variety of other ethnic foods. Many of the restaurants in Shimokitazawa are quite small. The one you are looking for might not be so easy to find!

Also, when you come to Shimokitazawa, you can enjoy music in many different forms. There are always many live music events going on as well as bars where you can listen to records. There are many jazz bars, too, so if you're a jazz fan, by all means, come to Shimokitazawa!

●模範となる英語の音読例を聞きましょう。

046

Words & Phrases

charm：魅力
vintage：年代物の、古くて価値のある、由緒ある
dining：食事
novelty goods：ユニークなグッズ、変わったもの、目新しいもの
good buy：お買い得品
boast ～：自慢は～だ、～を持つ
hang out：（時間を）過ごす、行ってみる
indulge in ～：～を堪能する
by all means：ぜひ

Column

記憶するとはどういうことか

今回は、下北沢という街を紹介するという設定ですが、皆さんは下北沢を訪れたことがありますか？ 訪れたことがある方は、きっとどのルーティンをやっているときでも、頭に下北沢の街の映像が浮かび、記憶を呼び起こすことができるのではないでしょうか？ 人間は新しい情報が入ってきたとき、すでに持っている情報と結び付けて処理しようとします。ですから、下北沢を実際訪れて、街歩きをした体験がある方は、その点では有利、とも言えます。実体験に勝るものはありません。一方、下北沢に行ったことがない方は、ぜひ冒頭のページにある写真も参考にしてみてください。あるいは、ウェブサイトで下北沢を検索してみるのもいいでしょう。

「記憶」には3つの段階があると言われています。まずは、情報を受け取ること、次に、受け取った情報を保持しておくこと、さらにその情報を思い出すことです。最初の「情報を受け取ること」が最も重要です。インプットしていない情報は、当然ながら保持もできませんし、思い出すこともできません。

脳は、既知の情報を基に新しい情報をイメージ化することで記憶する仕組みになっていると言います。どの言語であろうと、新しい情報が入ってきたら、1つ1つの単語の意味を追うのではなく、全体の意味をざっくりと捉える方が、頭の中で映像化、あるいは画像化しやすくなります。

重要ポイントをつなぐ

▶Exercise 1「下北沢へようこそ!」

次に、スライド資料を見ながら、下北沢をわかりやすくプレゼンテーションしてみてください。自分が地域ボランティアの20歳の若者になったつもりで、目の前に海外からの観光客がいるという場面を想像して話してみましょう。資料に書いてある内容だけではなく、話を膨らませて、自由に語ってみてください。

●下北沢についてプレゼンテーションする際の重要ポイントが、以下のスライドに書かれています。ポイントをつないで文章にし、日本語でプレゼンテーションしましょう。自分の声を録音して、あとで聞いてみるのもよいでしょう。

スライド①

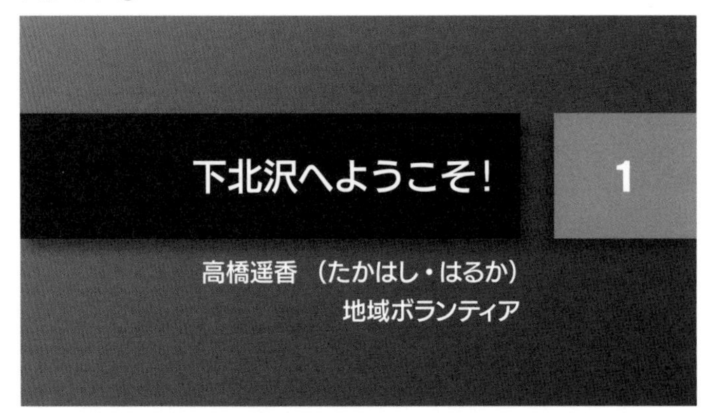

スライド②

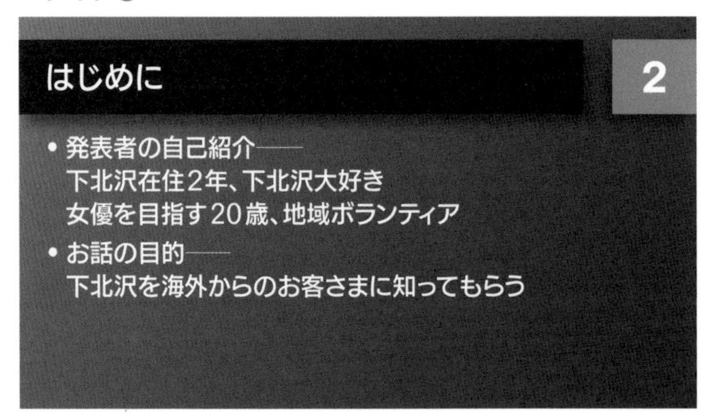

スライド③

スライド④

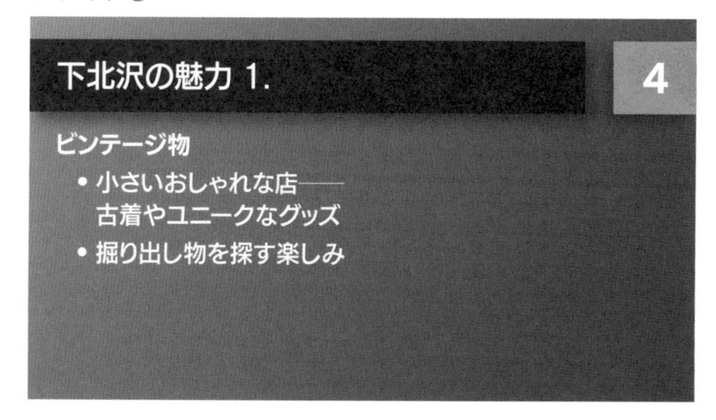

スライド⑤

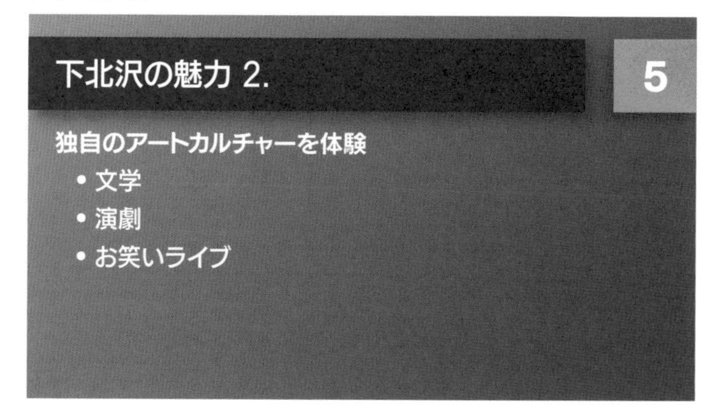

スライド⑥

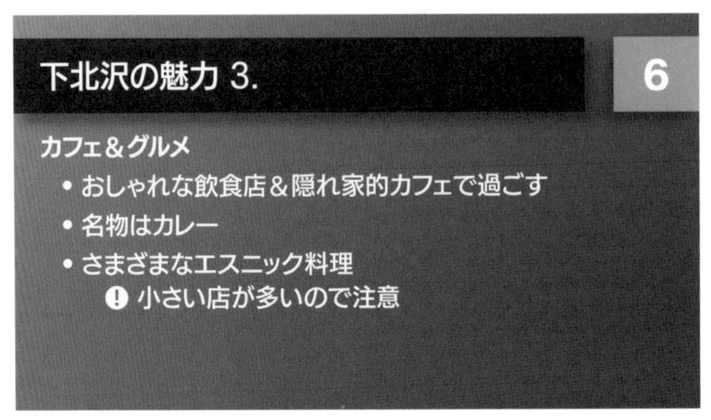

スライド⑦

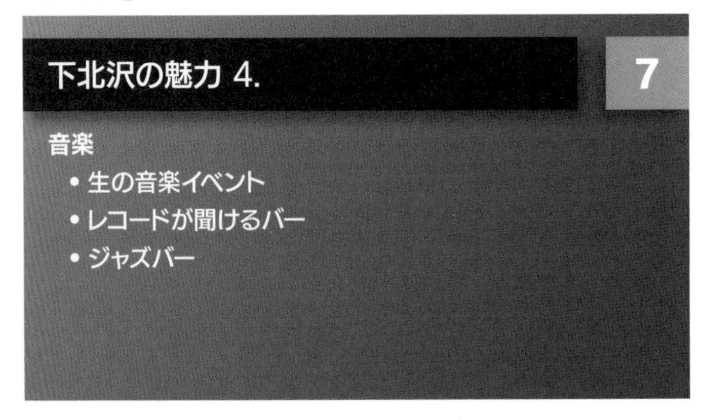

下北沢に古着を求めて
来る人は多い

●では次に、同じことを英語のスライドでもやってみます。スライドにある重要ポイントをつないで、下北沢について英語でプレゼンテーションしましょう。日本語の時と同じく、聞き手がいることを意識して話してみてください。

スライド①

スライド②

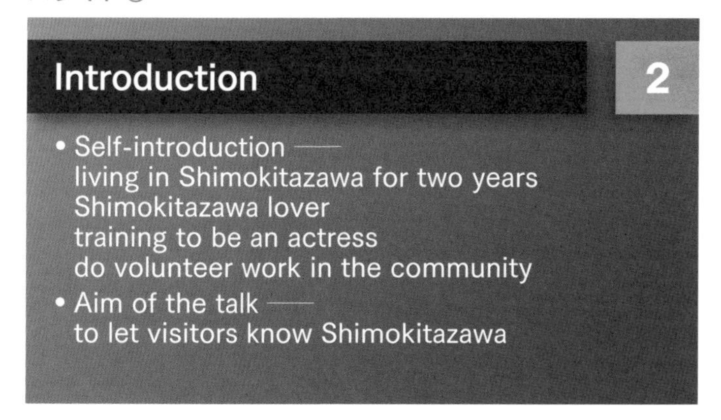

スライド③

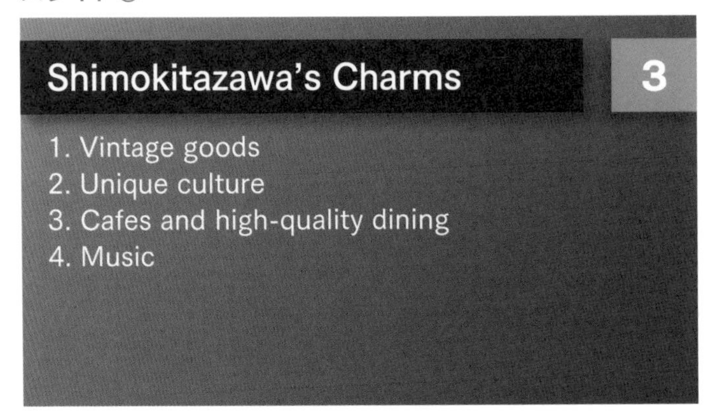

スライド④

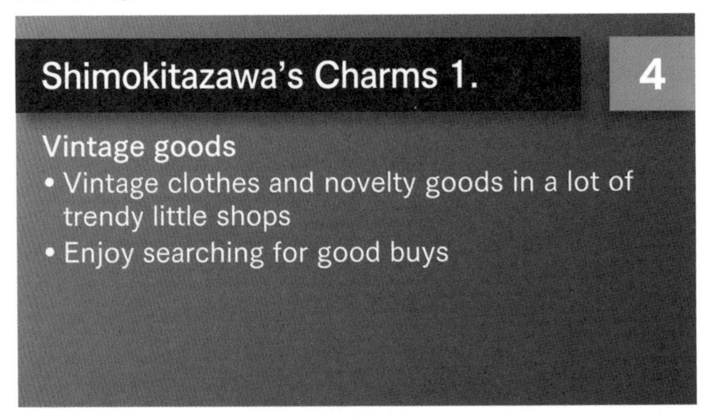

スライド⑤

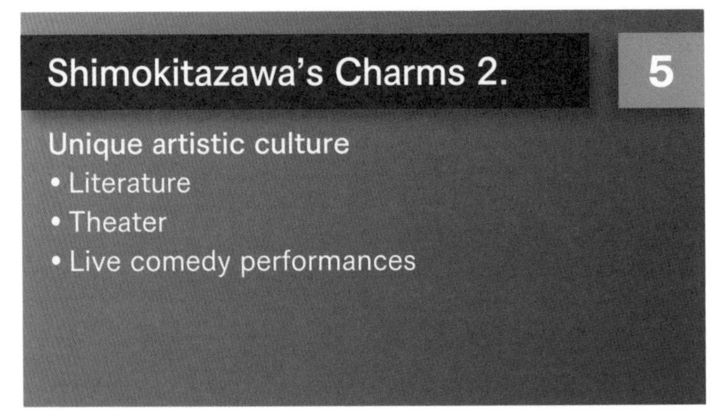

スライド⑥

Shimokitazawa's Charms 3.

6

Cafes and high-quality dining

- Hang out in numerous stylish restaurants and hidden cafes
- Curry is a specialty
- Various other ethnic foods
    - ❗ Many of the restaurants are quite small

スライド⑦

リピーティング

▶ Exercise 1「下北沢へようこそ!」

日本語でも英語でも、下北沢を紹介することができましたか？　次に英語を聞いて、1文ごとにリピートしましょう。「ルーティン1」で音読した内容だけではなく、「ルーティン2」のスライドに合わせて自己紹介やあいさつも含まれています。相手がいるかのように口に出しましょう。

●英語の音声を聞きます。1文ごとにチャイムが鳴るので、直後のポーズで英語を繰り返しましょう。できるだけ、イントネーション、ポーズ、強調をまねてください。

047-053

スライド①

1. Hello, everyone. /
2. Today, I'd like to talk about Shimokitazawa. /
3. It's a wonderful place, and I hope you'll be interested in it and will come visit us. /

スライド②

4. My name is Haruka Takahashi, and I've been living in Shimokitazawa for two years. /
5. I'm a Shimokitazawa lover! /
6. I'm 20 years old and training to be an actress. /
7. And I also do volunteer work in the community to let visitors know what Shimokitazawa has to offer. /
8. Now, the aim of today's talk is to let you all get to know this area. /

スライド③

9. There are many charms in Shimokitazawa. /
10. Among them are vintage goods, unique culture, cafes and high-quality dining and music. /

スライド④

11. First of all, the neighborhood has a lot of trendy little shops selling vintage clothes and novelty goods. /
12. You can have a great time searching for good buys. /

スライド⑤

13. Second, you can experience Shimokitazawa's unique artistic culture. /

14. You can enjoy literature, theater and many live comedy performances. /
15. Please come and see my performances at a small theater! /

スライド⑥

16. The neighborhood boasts numerous stylish restaurants and hidden cafes. /
17. I recommend hanging out in these places. /
18. There is also a wide variety of high-quality restaurants. /
19. Curry is a Shimokitazawa specialty, but you can also indulge in a variety of other ethnic foods. /
20. Many of the restaurants in Shimokitazawa are quite small. /
21. The one you are looking for might not be so easy to find! /
22. Please keep that in mind. /

スライド⑦

23. Also, when you come to Shimokitazawa, you can enjoy music in many different forms. /
24. There are always many live music events going on as well as bars where you can listen to records. /
25. There are many jazz bars, too, so if you're a jazz fan, by all means, come to Shimokitazawa! /

1文ごとの通訳

▶Exercise 1「下北沢へようこそ!」

では次に、「ルーティン3」の英語をベースにした日本語の音声を聞きます。1文ごとに、直後のポーズで英語にして言ってみましょう。時間内に、焦らず、正しい表現で英語を組み立てます。「ルーティン2」の日本語もしくは英語のスライドを見ながらでもかまいません。うまくいかなかった場合はもう一度「ルーティン1」の音読をして、この「ルーティン4」を再度試してみてください。最後に模範例と比較してみましょう。

●日本語の音声を聞きます。チャイムの直後のポーズで、英語で言ってみましょう(模範例はpp.106-107にあります)。

054-060

スライド①

1. 皆さん、こんにちは。/
2. 今日は、下北沢についてお話しさせてください。/
3. 素敵なところなので、ぜひ、興味を持ってもらい、遊びに来ていただきたいと思います。/

スライド②

4. 私は、高橋遥香(たかはし・はるか)と申しまして、下北沢に2年住んでいます。/
5. そして、下北沢大好き人間です!/
6. 女優を目指して修行中の20歳です。/
7 下北沢の魅力を訪問される皆さんに知ってもらおうと、地域ボランティアもやっています。/
8. 今日のお話の目的は、皆さんにこの地域について知っていただくことです。/

スライド③

9. 下北沢には、いくつもの魅力があります。/
10. ビンテージ物、独自のカルチャー、カフェ＆グルメ、音楽といったものです。/

スライド④

11. まず、小さなおしゃれな店がたくさんあって、古着やユニークなグッズを売っています。/
12. 掘り出し物を探すのも楽しいでしょう。/

スライド⑤

13. 2つめに下北沢の独自のアートカルチャーを体験できます。/
14. 文学や演劇、そしてお笑いライブを楽しめます。/
15. 小劇場でやっている私の舞台を見に来てください!/

スライド⑥

16. 下北沢には、たくさん、おしゃれな飲食店や隠れ家的なカフェがあります。/
17. そういうところで過ごすのもお薦めです。/
18. また、多種多様なおいしいレストランもあります。/
19. カレーは下北沢の名物ですが、ほかにもいろいろなエスニック料理が堪能できます。/
20. 下北沢の飲食店はかなり小さいところが多いのです。/
21. 目当てのお店がそう簡単には見つからないかもしれません!/
22. 気を付けてくださいね。/

スライド⑦

23. また、下北沢に来たら、いろいろな形で音楽を楽しむことができます。/
24. いつもたくさん、生の音楽イベントをやっていて、レコードが聞けるバーもあります。/
25. ジャズバーも多いので、ジャズファンだったらぜひ、下北沢に来てください!/

レコード屋巡りも楽しい

【模範例】

スライド①

1. Hello, everyone.
2. Today, I'd like to talk about Shimokitazawa.
3. It's a wonderful place, and I hope you'll be interested in it and will come visit us.

スライド②

4. My name is Haruka Takahashi, and I've been living in Shimokitazawa for two years.
5. I'm a Shimokitazawa lover!
6. I'm 20 years old and training to be an actress.
7. And I also do volunteer work in the community to let visitors know what Shimokitazawa has to offer.
8. Now, the aim of today's talk is to let you all get to know this area.

スライド③

9. There are many charms in Shimokitazawa.
10. Among them are vintage goods, unique culture, cafes and high-quality dining and music.

スライド④

11. First of all, the neighborhood has a lot of trendy little shops selling vintage clothes and novelty goods.
12. You can have a great time searching for good buys.

スライド⑤

13. Second, you can experience Shimokitazawa's unique artistic culture.
14. You can enjoy literature, theater and many live comedy performances.
15. Please come and see my performances at a small theater!

スライド⑥

16. The neighborhood boasts numerous stylish restaurants and hidden cafes.
17. I recommend hanging out in these places.
18. There is also a wide variety of high-quality restaurants.
19. Curry is a Shimokitazawa specialty, but you can also indulge in a variety of other ethnic foods.
20. Many of the restaurants in Shimokitazawa are quite small.
21. The one you are looking for might not be so easy to find!
22. Please keep that in mind.

スライド⑦

23. Also, when you come to Shimokitazawa, you can enjoy music in many different forms.
24. There are always many live music events going on as well as bars where you can listen to records.
25. There are many jazz bars, too, so if you're a jazz fan, by all means, come to Shimokitazawa!

英語で話す

▶ Exercise 1「下北沢へようこそ!」

最後に下北沢について、英語で話してみましょう。ここまでに学んだ英語を再現できなくてもかまいません。文は複雑ではないものを作るように心がけ、表現も自信を持って使えるものを選びましょう。以下の日本語のスライドを参考にしながら、やってみてください。

●下北沢について、自分の英語でプレゼンテーションしてみましょう。いままで同様、相手に話しかけるようにし、自分の声を録音するのもいいでしょう。そのあとで模範例pp. 110-111の英文および音声と比較します(ここまでで学んだ模範例Aと、少し異なる単語と構文を使った模範例Bがあります)。先に模範例を確認してから、この「ルーティン5」をやってみてもかまいません。

スライド①

スライド②

はじめに
2
• 発表者の自己紹介——
下北沢在住2年、下北沢大好き
女優を目指す20歳、地域ボランティア
• お話の目的——
下北沢を海外からのお客さまに知ってもらう

スライド③

下北沢の魅力
3
1. ビンテージ物
2. 独自のカルチャー
3. カフェ&グルメ
4. 音楽

スライド④

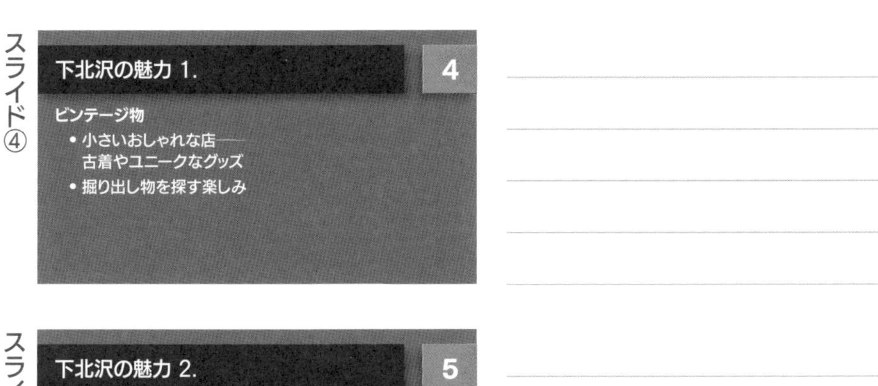

スライド⑤

下北沢の魅力 2.

5

独自のアートカルチャーを体験

- 文学
- 演劇
- お笑いライブ

スライド⑥

下北沢の魅力 3.

6

カフェ＆グルメ

- おしゃれな飲食店＆隠れ家的カフェで過ごす
- 名物はカレー
- さまざまなエスニック料理
  - ❗ 小さい店が多いので注意

スライド⑦

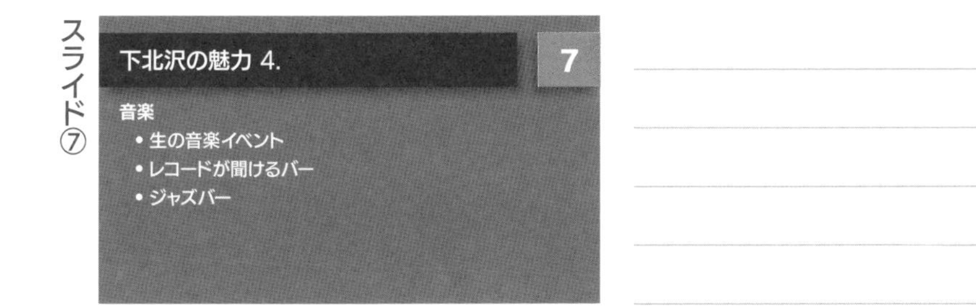

【模範例 A】

Hello, everyone. Today, I'd like to talk about Shimokitazawa. It's a wonderful place, and I hope you'll be interested in it and will come visit us.

My name is Haruka Takahashi, and I've been living in Shimokitazawa for two years. I'm a Shimokitazawa lover! I'm 20 years old and training to be an actress. And I also do volunteer work in the community to let visitors know what Shimokitazawa has to offer. Now, the aim of today's talk is to let you all get to know this area.

There are many charms in Shimokitazawa. Among them are vintage goods, unique culture, cafes and high-quality dining and music.

First of all, the neighborhood has a lot of trendy little shops selling vintage clothes and novelty goods. You can have a great time searching for good buys.

Second, you can experience Shimokitazawa's unique artistic culture. You can enjoy literature, theater and many live comedy performances. Please come and see my performances at a small theater!

The neighborhood boasts numerous stylish restaurants and hidden cafes. I recommend hanging out in these places. There is also a wide variety of high-quality restaurants. Curry is a Shimokitazawa specialty, but you can also indulge in a variety of other ethnic foods. Many of the restaurants in Shimokitazawa are quite small. The one you are looking for might not be so easy to find! Please keep that in mind.

Also, when you come to Shimokitazawa, you can enjoy music in many different forms. There are always many live music events going on as well as bars where you can listen to records. There are many jazz bars, too, so if you're a jazz fan, by all means, come to Shimokitazawa!

【模範例 B】

Hi, everyone. I'd like to talk to you today about Shimokitazawa. It's a lovely place, and I'd like you to become interested in it and want to visit us.

I'm Haruka Takahashi, a Shimokitazawa lover who has lived in Shimokitazawa for two years now. I'm 20 years old and currently studying to become an actress. I also do volunteer work in the local community to let visitors know what Shimokitazawa has to offer. Now, the purpose of my talk today is to let you all get to know Shimokitazawa and want to come and visit.

Shimokitazawa boasts many attractions. The main ones are vintage goods, unique culture, cafes and high-quality dining and music.

The most popular attraction is the many small, stylish shops, where vintage clothing and original goods are sold. You can have a great time searching for bargains.

Secondly, you can feel Shimokitazawa's unique artistic culture. Enjoy literature, theater and lots of live comedy shows. Or why not come and see one of my plays performed in a small theater?

There are many fashionable cafes hidden away in the Shimokitazawa area. I recommend trying them out. There are also many good restaurants. Curry is a specialty of Shimokitazawa, but various other ethnic foods are available, too. Lots of the eateries in Shimokitazawa are small and might be a challenge to find. Please bear this in mind.

In addition, when visiting Shimokitazawa, you will find a variety of different music. Live concerts are always going on, and there are bars that play vinyl records. If you're a jazz fan, you'll like Shimokitazawa for its many jazz bars.

※eatery：飲食店、レストラン／bear～in mind：～を覚えておく

下北沢の街並み

解説

●英語に年相応の話し方はあるか?

ここで下北沢を紹介しているのは、女優を目指している20歳の若者という設定です。ただし、話しかける相手はいろいろな年齢の人たちがいるはずですので、さほど若者言葉は出てきませんが、「下北沢大好き人間です!」という表現は、あまり大人は使わないでしょう。ここでは、a Shimokitazawa loverという英語を当てましたが、a Shimokitazawa freak(下北沢のマニアックで熱狂的なファン)、a big fan of Shimokitazawa(下北沢の大ファン)といった表現も使えます。スペイン語に語源があるa Shimokitazawa aficionado(下北沢マニア)は、あまり若い人は使わないでしょうが、意味は同じです。

また、前の「食品サンプル」の課題では、食品サンプルが「とてもリアル」という表現が出てきましたが、この表現は若者独特の言い回しと言えるかもしれません(大人なら、きちんとした場であれば「本物のよう、本物さながら」と言うところでしょう)。これを模範例ではrealisticとgenuineで表現しましたが、実はそこまでニュアンスを伝えきれていません。くだけた表現ではなく、大人の皆さんが、きちんとした場で使える英語を覚えていただくためです。ティーンエージャーを含む若い世代内であれば、super real(すごくリアル)などを使う可能性が高いでしょう。realという言葉は「すごく」という強調にも使えるので、口語ではI'm studying real hard.(すごく一生懸命勉強してる)という風にも使います。同じことを言うにしても、very, extremely, remarkably, so ~を使うと、どんな場面でも、誰に対しても無難ですし、もう少しくだけた感じを出したい場面では really ~でもいいでしょう。英語の映画やドラマは、どんな場面で、どのくらいの年代の人が、誰に対して、どういう表現を使っているかを知る、とても良い学習素材です。

●和製英語とそうでないものとの区別に注意

下北沢では生の音楽イベントをたくさんやっている、というくだりがありますが、日本語では「ライブ」もよく使われます。これは「ライブコンサート」の略で、厳密には3人以上の演奏者による生演奏のことです。英語では、live music event(生演奏の音楽イベント)やlive concert(ライブコンサート)と言います。「コンサート」は音楽会や演奏会と言い換えられますが、英語でもconcertで通じます。「リサイタル」は、独奏会、独唱会のことを指し、英語でもrecitalと言います。音楽イベントを指す「フェス」はやはり和製英語です。英語で祭り、祭典、祝祭を意味するfestivalから来ていますが、music festival、あるいはmusic festと言います。和製英語で英語としては通じないものと、実は英語としても正しいものといろいろなので、注意が必要です。

Exercise 2
「池田家具店の会社説明」

では次に、ビジネスの世界に足を踏み入れ、日本の会社を英語でプレゼンテーションできるよう、「5つのルーティン」を使って学びましょう。ここでは、家具店と提携を希望する人たちが海外から視察にやってきたという設定です。まずやるべきことは、自社について日本語と英語で情報を入れることです。

自分が所属する会社のことであれば、日本語では説明できるかもしれませんね。ですが、英語でさっとプレゼンテーションできるでしょうか？ 今回は、架空の会社「池田家具店株式会社」の社員という立場で練習してみましょう。

音読

▶ Exercise 2「池田家具店の会社説明」

まずは音読です。内容を頭に入れることが優先ですが、英語ではどのように表現するのかに注目しながら、読み進めるといいでしょう。大切な情報に印を付けながら、読むことをお勧めします。

●「池田家具店」についてのプレゼンテーションです。聞き手に伝わるよう、はっきりと、わかりやすく、以下の日本語と英語をそれぞれ声に出して読みましょう。

「池田家具店」の会社説明

わが社の社名は「池田家具店株式会社」と言い、池田公一(いけだ・こういち)が代表取締役社長です。本社は、ここ佐賀県佐賀市にあります。2023年4月時点で、従業員数は2,312人です。

わが社の企業理念は、「日本の最高の家具を住まいに、また世界へ」です。ビジョンは、2032年までに1000店舗、そして、売上高1兆円を達成することです。

創業は1965年です。1967年に、ここ佐賀に第1号店をオープンしました。わが社の東京への進出は、2010年の三鷹店のオープンで始まりました。そして、2015年には、カナダのバンクーバーに海外1号店をオープンしました。

わが社には2つの事業部門があります。これから両部門についてお話しします。まずは、ホームファーニシング事業部です。住まいをスタイリッシュに、かつ快適にする商品をデザインし、お求めやすい価格で販売しています。

もう1つは、通販事業部です。池田家具店の商品は、オンラインストア「池田ネット」で24時間、365日お買い求めいただけます。オンラインショッピング・サイト「素敵な家具マーケット」を通じても、わが社の商品をご購入いただけます。

●模範となる日本語の音読例を聞きましょう。

063

●次に英語を音読してください。ゆっくり、はっきりと会社のことが伝わるように心がけましょう。

064

Ikeda Furniture Ltd. Company Introduction

Our company name is Ikeda Furniture Ltd., and Koichi Ikeda is the chief executive officer. Our headquarters is here in Saga, Saga prefecture. As of April 2023, we have 2,312 employees.

Our company mission statement is "To introduce the best Japanese furniture to the home and the world." Our vision is to achieve 1,000 stores and sales of 1 trillion yen by 2032.

We were founded in 1965. In 1967, we opened our first store here in Saga. Our expansion into Tokyo began with the opening of the Mitaka store in 2010. And in 2015, we opened our first overseas store in Vancouver, Canada.

Our company has two business departments. I will now describe them both. First is the Home Furnishing Department. We design and sell products at affordable prices to make your home stylish and comfortable.

The other is the E-Commerce Department. Ikeda Furniture's products are available 24/7, through our online store, Ikeda Net. Customers can also purchase our products through the Sutekina Kagu Market online shopping site.

●模範となる英語の音読例を聞きましょう。

064

Words & Phrases

headquarters：本社　※通常、語末にsを付けてこの意味。
company mission statement：企業理念、（会社の）ミッション
be founded：創立された
expansion：拡大
affordable：無理なく買い求められる
24/7：毎日24時間・週7日ずっと、年中無休で　※読み方はtwenty-four seven。

重要ポイントをつなぐ

▶ Exercise 2「池田家具店の会社説明」

次に、スライドを見ながら、日本語を声に出して、会社紹介をしてみてください。池田家具店の社員の小川和子さんになったつもりで、目の前に海外からのビジネス目的のお客さまがいるという場面を想像してプレゼンテーションしてみましょう。資料に書いてある内容だけではなく、話を膨らませて、自由に説明してください。

●「池田家具店」についてプレゼンテーションする際の重要ポイントが、以下のスライドに書かれています。ポイントをつないで文章にし、「池田家具店」を日本語で説明しましょう。自分の声を録音して、あとで聞いてみるのもよいでしょう。

スライド①

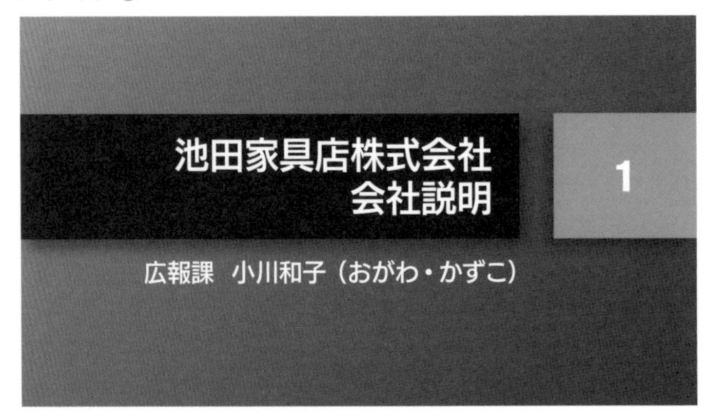

スライド②

池田家具店株式会社

2

- 代表取締役社長：池田公一（いけだ・こういち）
- 本社：佐賀県佐賀市
- 従業員数：2,312人（2023年4月時点）

スライド③

スライド④

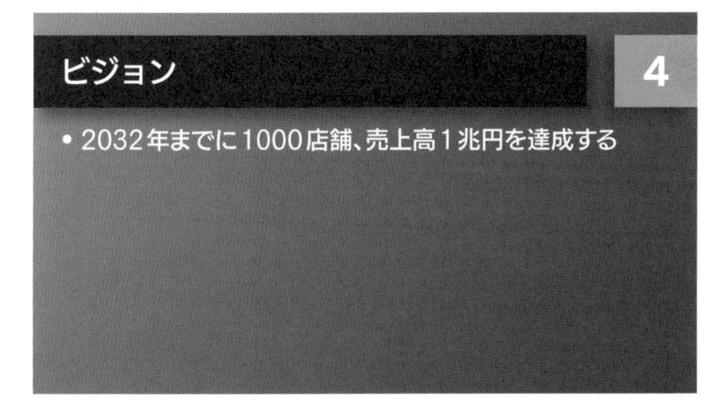

スライド⑤

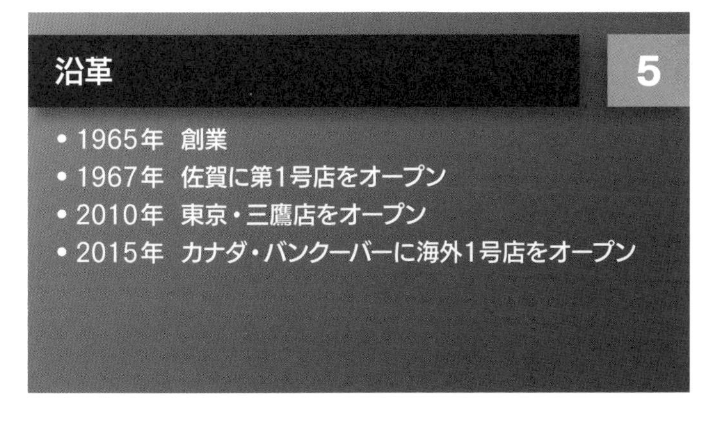

スライド⑥

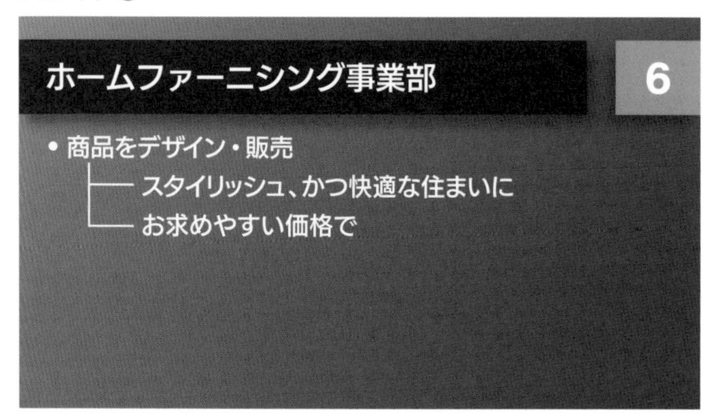

スライド⑦

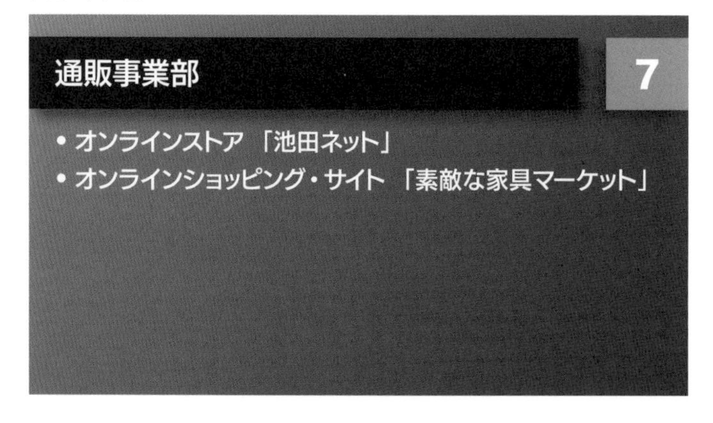

スライド⑧

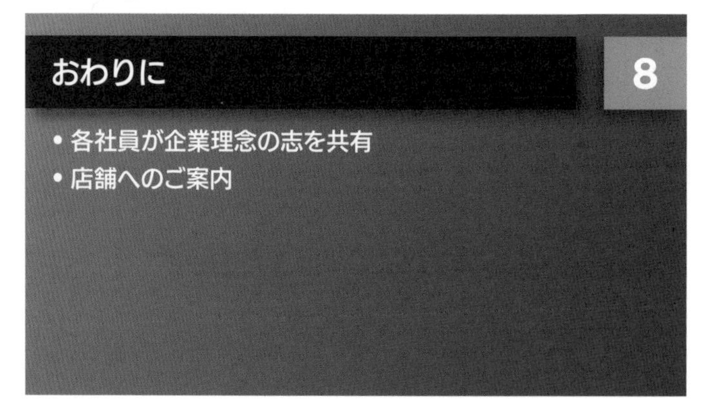

では次に、同じことを英語のスライドでもやってみます。スライドにある重要ポイントをつないで、「池田家具店」について英語でプレゼンテーションしましょう。

スライド①

スライド②

スライド③

スライド④

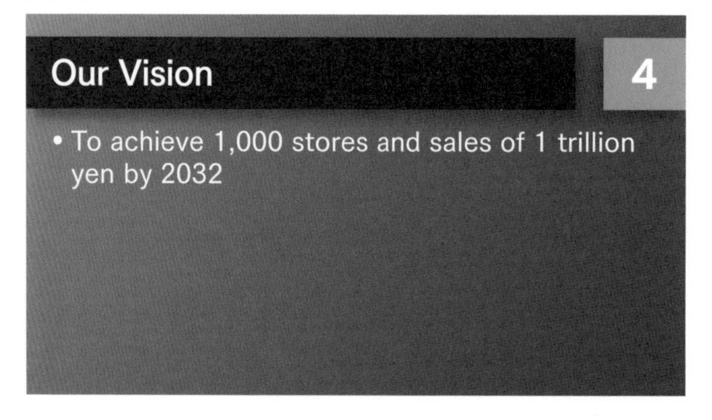

スライド⑤

スライド⑥

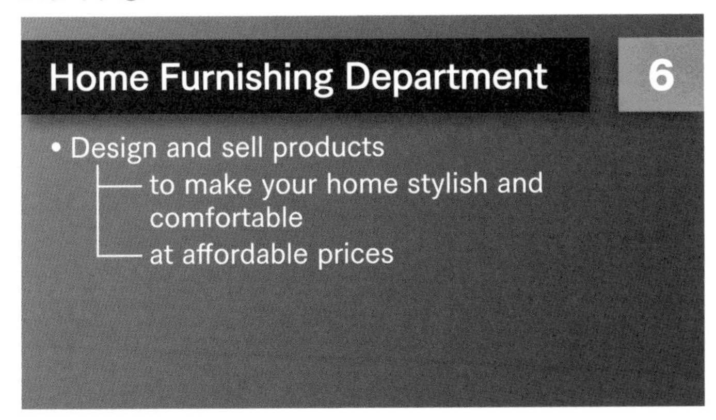

スライド⑦

スライド⑧

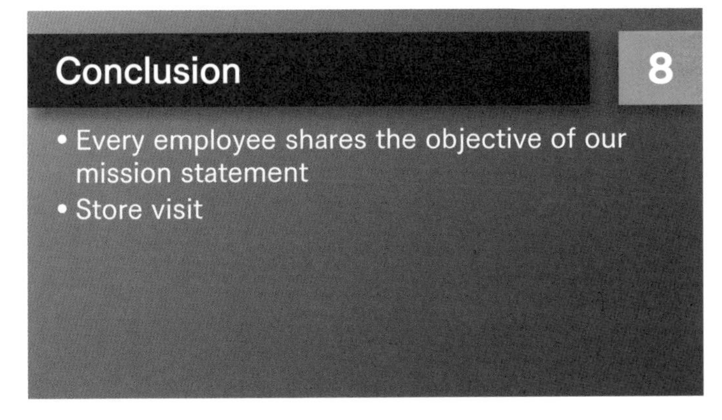

リピーティング

▶ Exercise 2「池田家具店の会社説明」

日本語でも英語でも、池田家具店の事業内容と沿革についてプレゼンテーションができましたか？ ここで1文ごとに、模範となる英語を聞いて、リピートしましょう。文章は、「ルーティン1」で音読したものですが、前後に自己紹介やあいさつも付いています。より臨場感を持って繰り返しましょう。

●英語の音声を聞きます。1文ごとにチャイムが鳴るので、直後のポーズで英語を繰り返しましょう。

065-072

スライド①

1. Ladies and gentlemen from overseas, welcome to Ikeda Furniture's Saga headquarters. /
2. My name is Kazuko Ogawa, and I am from the Public Relations Division. /
3. Today, I would like to briefly introduce our company. /

スライド②

4. First of all, our company name is Ikeda Furniture Ltd., and Koichi Ikeda is the chief executive officer. /
5. Our headquarters is here in Saga, Saga prefecture. /
6. As of April 2023, we have 2,312 employees. /

スライド③

7. Our company mission statement is “To introduce the best Japanese furniture to the home and the world.” /

スライド④

8. Our vision is to achieve 1,000 stores and sales of 1 trillion yen by 2032. /

スライド⑤

9. Let me give you a brief history of our company now. /
10. We were founded in 1965. /
11. In 1967, we opened our first store here in Saga. /

12. Our expansion into Tokyo began with the opening of the Mitaka store in 2010. /
13. And in 2015, we opened our first overseas store in Vancouver, Canada. /

スライド⑥
14. Our company has two business departments. /
15. I will now describe them both. /
16. First is the Home Furnishing Department. /
17. We design and sell products at affordable prices to make your home stylish and comfortable. /

スライド⑦
18. The other is the E-Commerce Department. /
19. Ikeda Furniture's products are available 24/7, through our online store, Ikeda Net. /
20. Customers can also purchase our products through the Sutekina Kagu Market online shopping site. /

スライド⑧
21. This ends my explanation. /
22. Every Ikeda Furniture employee shares the objective of our mission statement. /
23. I'm sure you will notice this when we now go through our store. /
24. Thank you very much for your time today. /

1文ごとの通訳

▶Exercise 3「池田家具店の会社説明」

では次に、日本語の音声を聞いて、英語にします。時間内に、正しい表現で構文を組み立てることを心がけましょう。「ルーティン2」の日本語もしくは英語のメモを見ながらでもかまいません。うまくいかなかった場合はもう一度、「ルーティン1」の原稿の音読をして、この「ルーティン4」を再度試してみてください。最後に模範例を見ながら比較してみましょう。

●日本語の音声を聞きます。チャイムの直後のポーズで、英語で言ってみましょう（模範例はpp.128-129にあります）。

073-080

スライド①
1. 海外からお越しの皆さん、池田家具店の佐賀本社へようこそいらっしゃいました。/
2. 私は広報課の小川和子（おがわ・かずこ）と申します。/
3. 今日は、わが社のことを簡単にご紹介したいと思います。/

スライド②
4. まず、社名は「池田家具店株式会社」と言い、池田公一（いけだ・こういち）が代表取締役社長です。/
5. 本社は、ここ佐賀県佐賀市にあります。/
6. 2023年4月時点で、従業員数は2,312人です。/

スライド③
7. わが社の企業理念は、「日本の最高の家具を住まいに、また世界へ」です。/

スライド④
8. ビジョンは、2032年までに1000店舗、そして、売上高1兆円を達成することです。/

スライド⑤
9. ここで、わが社の沿革についてご説明します。/
10. 創業は1965年です。/
11. 1967年に、ここ佐賀に第1号店をオープンしました。/
12. わが社の東京への進出は、2010年の三鷹店のオープンで始まりました。/

13. そして、2015年には、カナダのバンクーバーに海外1号店をオープンしました。/

スライド⑥

14. わが社には2つの事業部門があります。/
15. これから両部門についてお話しします。/
16. まずは、ホームファーニシング事業部です。/
17. 住まいをスタイリッシュに、かつ快適にする商品をデザインし、お求めやすい価格で販売しています。/

スライド⑦

18. もう1つは、通販事業部です。/
19. 池田家具店の商品は、オンラインストア「池田ネット」で24時間、365日お買い求めいただけます。/
20. オンラインショッピング・サイト「素敵な家具マーケット」を通じても、わが社の商品をご購入いただけます。/

スライド⑧

21. 以上が、わが社の説明となります。/
22. 池田家具店の社員一人ひとりが企業理念の志を共有しています。/
23. これから私どもの店舗をご覧になりますと、きっとおわかりいただけるでしょう。/
24. 本日はお時間ありがとうございました。/

【模範例】

スライド①

1. Ladies and gentlemen from overseas, welcome to Ikeda Furniture's Saga headquarters.
2. My name is Kazuko Ogawa, and I am from the Public Relations Division.
3. Today, I would like to briefly introduce our company.

スライド②

4. First of all, our company name is Ikeda Furniture Ltd., and Koichi Ikeda is the chief executive officer.
5. Our headquarters is here in Saga, Saga prefecture.
6. As of April 2023, we have 2,312 employees.

スライド③

7. Our company mission statement is "To introduce the best Japanese furniture to the home and the world."

スライド④

8. Our vision is to achieve 1,000 stores and sales of 1 trillion yen by 2032.

スライド⑤

9. Let me give you a brief history of our company now.
10. We were founded in 1965.
11. In 1967, we opened our first store here in Saga.
12. Our expansion into Tokyo began with the opening of the Mitaka store in 2010.
13. And in 2015, we opened our first overseas store in Vancouver, Canada.

スライド⑥

14. Our company has two business departments.
15. I will now describe them both.
16. First is the Home Furnishing Department.
17. We design and sell products at affordable prices to make your home stylish and comfortable.

スライド⑦

18. The other is the E-Commerce Department.
19. Ikeda Furniture's products are available 24/7, through our online store, Ikeda Net.
20. The customers can also purchase our products through the Sutekina Kagu Market online shopping site.

スライド⑧

21. This ends my explanation.
22. Every Ikeda Furniture employee shares the objective of our mission statement.
23. I'm sure you will notice this when we now go through our store.
24. Thank you very much for your time today.

英語で話す

▶ Exercise 3「池田家具店の会社説明」

最後に社員の立場から、海外のお客さまに「池田家具店」について英語でプレゼンテーションしてください。模範例を暗記する必要はないので、文章は複雑ではないものを作るように心がけ、表現も自信を持って使えるものを選びましょう。実際に説明をする時は、このようなパワーポイントの資料を使うことが多いでしょうから、以下のスライドを参考にしながら話してみましょう。

●では「池田家具店」について、自分の英語でプレゼンテーションしてみましょう。自分の声を録音するのもいいでしょう。そのあとで模範例の英文および音声と比較してみてください(ここまでで学んだ模範例Aと、少し異なる単語と構文を使った模範例Bがあります)。先に模範例を確認してから、この「ルーティン5」をやってみてもかまいません。

スライド①

池田家具店株式会社
会社説明

1

広報課　小川和子（おがわ・かずこ）

スライド②

池田家具店株式会社

2

- 代表取締役社長：池田公一（いけだ・こういち）
- 本社：佐賀県佐賀市
- 従業員数：2,312人（2023年4月時点）

スライド③

企業理念

3

- 日本の最高の家具を住まいに、また世界へ

スライド④
ビジョン
4
• 2032年までに1000店舗、売上高1兆円を達成する
スライド⑤
沿革
5
• 1965年 創業
• 1967年 佐賀に第1号店をオープン
• 2010年 東京・三鷹店をオープン
• 2015年 カナダ・バンクーバーに海外1号店をオープン
スライド⑥
ホームファーニシング事業部
6
• 商品をデザイン・販売
スタイリッシュ、かつ快適な住まいに
お求めやすい価格で
スライド⑦
通販事業部
7
• オンラインストア 「池田ネット」
• オンラインショッピング・サイト 「素敵な家具マーケット」
スライド⑧
おわりに
8
• 各社員が企業理念の志を共有
• 店舗へのご案内

【模範例 A】

Ladies and gentlemen from overseas, welcome to Ikeda Furniture's Saga headquarters. My name is Kazuko Ogawa, and I am from the Public Relations Division. Today, I would like to briefly introduce our company.

First of all, our company name is Ikeda Furniture Ltd., and Koichi Ikeda is the chief executive officer. Our headquarters is here in Saga, Saga prefecture. As of April 2023, we have 2,312 employees.

Our company mission statement is "To introduce the best Japanese furniture to the home and the world."Our vision is to achieve 1,000 stores and sales of 1 trillion yen by 2032.

Let me give you a brief history of our company now. We were founded in 1965. In 1967, we opened our first store here in Saga. Our expansion into Tokyo began with the opening of the Mitaka store in 2010. And in 2015, we opened our first overseas store in Vancouver, Canada.

Our company has two business departments. I will now describe them both. First is the Home Furnishing Department. We design and sell products at affordable prices to make your home stylish and comfortable.

The other is the E-Commerce Department. Ikeda Furniture's products are available 24/7, through our online store, Ikeda Net. Customers can also purchase our products through the Sutekina Kagu Market online shopping site.

This ends my explanation. Every Ikeda Furniture employee shares the objective of our mission statement. I'm sure you will notice this when we now go through our store. Thank you very much for your time today.

【模範例 B】

Dear guests from abroad, welcome to Ikeda Furniture's headquarters here in Saga. I am Kazuko Ogawa from the Public Relations Division. Today, I would like to provide you with a brief introduction to our company.

Firstly, the company's name is Ikeda Furniture Ltd., and the CEO is Koichi Ikeda. We have 2,312 employees as of April 2023.

Our mission is "To introduce the best Japanese furniture to the home and the world." Our vision is to achieve 1,000 stores and sales of 1 trillion yen by 2032.

Let me now give you an overview of our company's history. The company was founded in 1965. We opened our first store here in Saga in 1967. Our expansion to Tokyo started with the 2010 opening of our Mitaka store. In 2015, we then opened our first overseas store, in Vancouver, Canada.

Our company has two key business lines. From here, I will explain each of them. The first one is under the Home Furnishing Department. We design and sell products to make the home stylish and comfortable at affordable prices.

The other is the E-Commerce Department. Ikeda Furniture products can be purchased 24/7, via our online store, Ikeda Net. In addition, customers can buy our products at the Sutekina Kagu Market online shopping site.

This concludes my description of our company. All Ikeda Furniture employees share the aspiration of our mission statement as the basis for our corporate activities. I will now take you to our store so that you can see and understand our business for yourselves. Thank you very much for coming today.

※overview：あらまし／aspiration：志

解説

●財務用語を覚えよう

今回はビジネスで使う用語が頻出しました。例えば「売上高」は[net]salesがよく使われますが、revenueやturnoverという表現も使います。財務用語は損益計算書(profit and loss / income statement)に載っているので、主要な項目をこの際覚えてしまうのもいいでしょう。「売上原価」はcost of sales、「販売および一般管理費(販管費)」はselling, general and administrative expenses (SG&Aと略される)、「営業損失」はoperating lossです。何回も声に出して言ってみると、だんだん記憶に定着すると思います。筆者はよくIR(investor relations)の通訳をします。これは企業が投資家や株主に対して投資判断に必要な経営状況などの情報を提供する会議です。貸借対照表(balance sheet)の言葉も数字もどんどん出てくるので気を抜けません。

●「販売する」vs「購入する」

会社が何らかの商品を販売する、と言いたい場合はwe sell ～を使い、例えばWe sell antique watches.(アンティーク時計を売っています)のように言います。他の動詞としては、「扱う」という意味のhandle、「売り込む」というニュアンスが強いmarketも使えます。このプレゼンテーションには出てきませんでしたが、「サービスを提供する」はoffer a serviceと言い、こちらは進んで提供する感じがします。一方で、同じ意味でもprovide a serviceと言うと、必要なものを与えているという少々義務的なニュアンスがあります。

逆に、買う方は「ご購入いただけます」のところで出てきたpurchaseがビジネスではいいでしょう。今回の文脈でyou can buyと言うと、ちょっと相手を下に見ている感じがします。products are availableという表現も出てきましたが、availableは「物が入手できる状態である」という意味で、「商品を取り揃えてある」という状態です。また、人に対してもI am available this weekend.(今週末は空いています)というふうに使えます。

●「お求めやすい価格」とはどんな価格?

「お求めやすい」ということは、買うことができるという意味で、決して安いことではありません。今回出てきたaffordable priceは、誰でも買えそうな良心的な価格ということです。affordableは「手に届く」「お手頃な」という意味なので、The house is affordable.だと、この家の価格は手に届く範囲なので、無理なく買えるということになります。affordがableだということですから、「買うことが可能である」「買う余裕がある」「買っても大丈夫」であるということです。I can afford a new smartphone.は「新しいスマホを買う余裕がある」、という意味です。なお、最近、日本語でもリーズナブルという表現を使いますが、reasonable priceと言うと、「適正価格、相応の値段」というニュアンスがあるので、あまり高い値段ではないということを示します。

Column

社内通訳者のいま・むかし

外資系の会社が日本で事業展開する場合、あるいは日本企業が海外と取引をする時に、通訳者が必要な場面があります。この本の表紙にもあるように、「ちょっと通訳お願い!」と言われるくらいの軽い場面はさておき、重要な商談や契約などの場合には、通訳者を介した方が何かとスムーズだったりします。通訳需要が高く、毎回、社外のフリーランス通訳者を雇うよりも、社員として雇う方がコスト的に安いと考えている会社では、「社内通訳者」を常駐させている場合が多いようです。社内通訳者は、その会社の組織や業務内容、社員のこともよくわかっており、会議の資料など社内情報へのアクセスも良いため、その日だけ社外からやってくる通訳者よりも精度の高い通訳ができるという利点もあります。

以前は、社内通訳者と言えば、通訳者養成機関を卒業したばかり、あるいは在校中の人が翻訳者兼通訳者として、または秘書兼通訳者として雇われ、安定収入を得ながら、通訳経験を積むことが多かったのですが、今はそうばかりとも言えません。複数の社内通訳者がいる会社では、チーフ通訳者が、初心者通訳者と中級者とベテランとに通訳業務を振り分けるところもあります。そういう会社で正社員として働く社内通訳者は「課長」「部長」などの役職が付く場合もあります。

大学で私の通訳の授業を受けながら、通訳者養成機関にも通っていた学生で、外資系企業に勤めた人がいました。希望に反して営業部門に配属されたものの、毎年、異動願を出し、通訳をしたいと言い続けたところ、晴れて社内通訳者になれたとの報告がありました。私に比べはるかに若く、通訳経験も浅い教え子でしたが、私が社外から通訳者として派遣された際には、事前に打ち合わせをセッティングしてくれたり、社内用語を教えてくれたり、いろいろと助けてくれました。そして何よりも、立派に通訳者として活躍しているのを見て、うれしくなりました。

Exercise 3
「日本歴史博物館のご案内」

第2章の最後のエクササイズです。ここでは勤務先の博物館について、外国人の来訪者にプレゼンテーションする、という設定で練習をしてみましょう。ここでもまずやるべきことは、博物館について、日本語と英語の両方で情報を頭に入れることです。舞台は、「日本歴史博物館」という架空の博物館です。ここの広報室長になったつもりで、最終的に自分の英語で博物館のプレゼンテーションができるようになりましょう。

音読

▶ Exercise 3「日本歴史博物館のご案内」

日本語と英語で「日本歴史博物館」について音読します。内容を頭に入れることが優先ですが、英語ではどのように表現するのかに注目しながら、読み進めるといいでしょう。英語でプレゼンテーションする際に英語にするのが難しそうな大切な情報には、印を付けながら読むことをお勧めします。

●「日本歴史博物館」についてのプレゼンテーションです。聞き手に伝わるよう、はっきりと、わかりやすく、以下の日本語を声に出して読みましょう。

「日本歴史博物館のご案内」

日本歴史博物館には常に2,000件を超える展示があります。来館者が日本の歴史と日本人について探求できるように展示をしています。当博物館のメインの展示物は、日本館にある「時空を歩く」です。特別展も年間を通じ定期的に開催しており、来館者に常に新しい発見をご提供しています。皆さまにお楽しみいただけるよう、現在、館内での多言語対応を強化中です。また、日本語を母語としない方にわかりやすい展示と説明を心がけています。

当博物館は、1965年に創設されました。日本歴史博物館の使命は、文化財の収集、調査、展示です。文化の保存と継承は、文化財と接する経験をとおして実現すると信じております。2023年現在で、日本歴史博物館の収蔵品はおよそ6万件です。うち、国宝が5件、重要文化財が353件です。有形文化財のうち、日本の芸術上または歴史上、きわめて重要なものを重要文化財と言います。さらに重要文化財の中でも、世界文化の見地から価値の高いものが国宝になります。

日本歴史博物館には3つの展示館があります。ここにございますように、まずは、日本の美術を展示する日本館です。次に日本の古来の物を集めた日本考古学館があります。東洋館は、日本以外の東アジアの収蔵品を展示しております。日本がこうした地域からさまざまな影響を受けてきたことをご理解いただけると幸いです。

●模範となる日本語の音読例を聞きましょう。

083

●次に英語をゆっくり、はっきりと相手に伝わるように音読してください。

Learn About the Nippon History Museum

At any given time, the Nippon History Museum has over 2,000 items on display. They are presented in a way to help visitors explore the history of the country as well as its people. The museum's main exhibition is its "A Walk Through Time," presented in the Japanese Gallery. Special exhibitions are held regularly throughout the year, so there's always something new for visitors to discover. To ensure that all visitors enjoy their visit, we are currently enhancing multilingual support in our galleries. We are also making the exhibits and explanations easy to understand for non-Japanese speakers.

The museum was founded in 1965. The mission of the Nippon History Museum is to collect, study and display cultural properties. We believe that the preservation and transmission of culture is achieved through the experience of being exposed to cultural properties. As of 2023, the Nippon History Museum has approximately 60,000 items in its collection. Of these, five are recognized as National Treasures and 353 as Important Cultural Properties. Among tangible cultural properties, Important Cultural Properties are those of exceptional importance in Japan's art or history. Among these Important Cultural Properties, those that are valuable from an international cultural perspective are considered National Treasures.

The Nippon History Museum has three exhibition buildings. As you can see here, first, there is the Japanese Gallery, which exhibits Japanese art. We also have the Japanese Archaeology Gallery with items from ancient Japan. The Oriental Gallery features exhibits from other parts of eastern Asia. We hope you will gain an understanding of the various influences Japan has experienced from these other places.

●模範となる英語の音読例を聞きましょう。

084

Words & Phrases

at any given time：常に、いつでも、どの時点でも　※ ＝at any time
explore～：～を探求する
exhibition：展示（物）
enhance ～：～を強化する、～の充実を図る
cultural property：文化財　preservation：保存
transmission：継承　National Treasure：国宝
Important Cultural Property：重要文化財
tangible cultural property：有形文化財
archaeology：考古学

Column

ウィスパリングを知ってますか？

通訳の手法には、大きく分けて2つ、逐次通訳と同時通訳があります（逐次通訳については、p. 164を参照）。実はもう1つ、同時通訳の派生型として「ウィスパリング（whispering）」があります。これは、通訳者が相手の耳元でささやく（whisper）ように通訳をするため、このような名前になっています。例えば、来日した映画俳優が日本人司会者からインタビューを受けるときの様子をテレビでご覧になったことはありませんか？　俳優のすぐ後ろに通訳者が控えていて、日本語の質問が始まると同時に、俳優にだけ聞こえるように通訳しているのですが、あれが、ウィスパリングです。

最近では、決まった電波帯域の送受信機（簡易装置）を使ってウィスパリングをすることが多くなっています。通訳者は送信機に付いているマイクに向かって小さな声で同時通訳を行い、聞き手は受信機のイヤホンで通訳者の声を聞きます。

今回のトピックは博物館に入館する前の説明という設定でしたが、館内での通訳はウィスパリングが多く、実際、私も何度か経験しました。通訳者は、展示物の近くに立って説明をしている学芸員の発言を聞き、小さな声で同時通訳をし、それを外国人のお客さまがイヤホンで聞きながら展示物を見る、という手順です。1つの展示物を見終わると、皆で移動して次の展示物のところに行き、同じことを繰り返します。この手法は、簡易装置が準備できるのであれば、少人数で移動するような場面で適しています。例えば工場見学や視察のときにも、このウィスパリングはよく使われます。

重要ポイントをつなぐ ▶Exercise 3「日本歴史博物館のご案内」

次に、スライド資料を見ながら、日本語を声に出して、博物館紹介をしてみてください。「日本歴史博物館」の真崎広報室長になったつもりで、これから博物館を見学するお客さまに博物館の概要を説明するという場面を想像してみましょう。資料に書いてある内容にとどまらず、話を膨らませて、自由に説明してください。

●「日本歴史博物館」についてプレゼンテーションする際の重要ポイントが、以下のスライドに書かれています。ポイントをつないで文章にし、日本語でプレゼンテーションしましょう。自分の声を録音して、後で聞いてみるのもよいでしょう。

スライド①

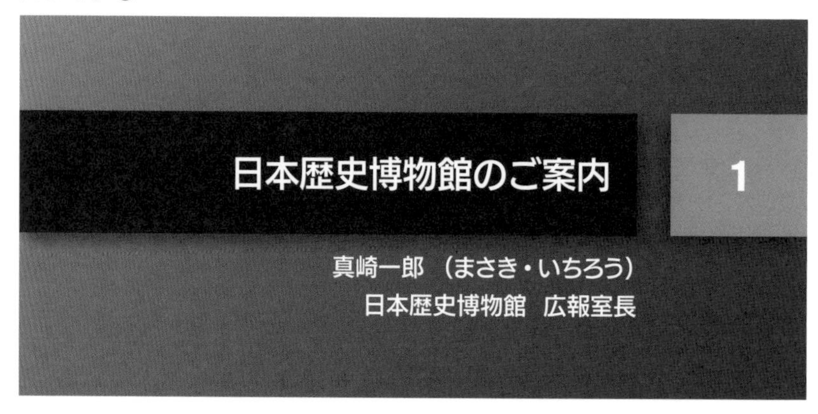

スライド②

博物館の概要　2

- 展示は常時2,000件を超える
- 日本の歴史と日本人について探求できる展示
- メインの展示（日本館）：「時空を歩く」
- 定期的に特別展を開催

スライド③

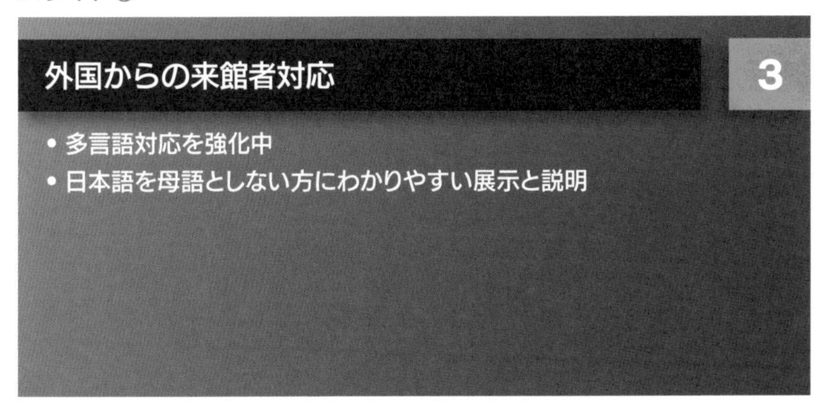

スライド④

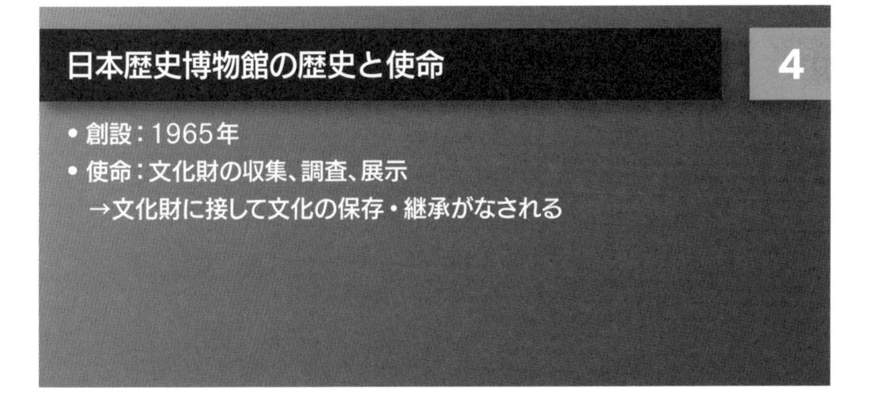

スライド⑤

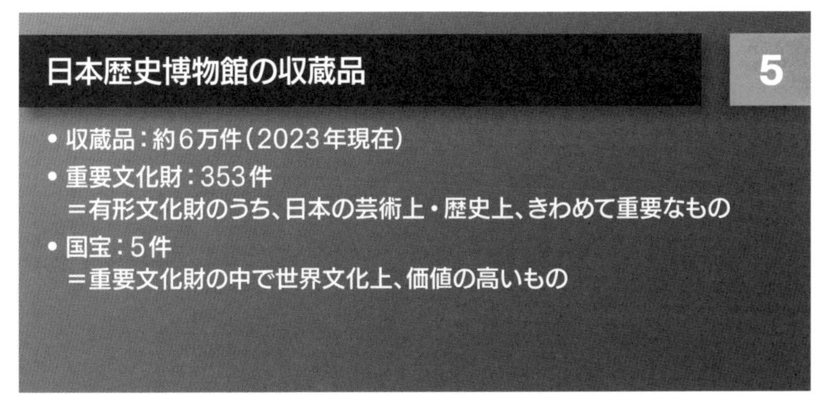

スライド⑥

3つの展示館
6
1. 日本館
2. 日本考古学館
3. 東洋館

スライド⑦

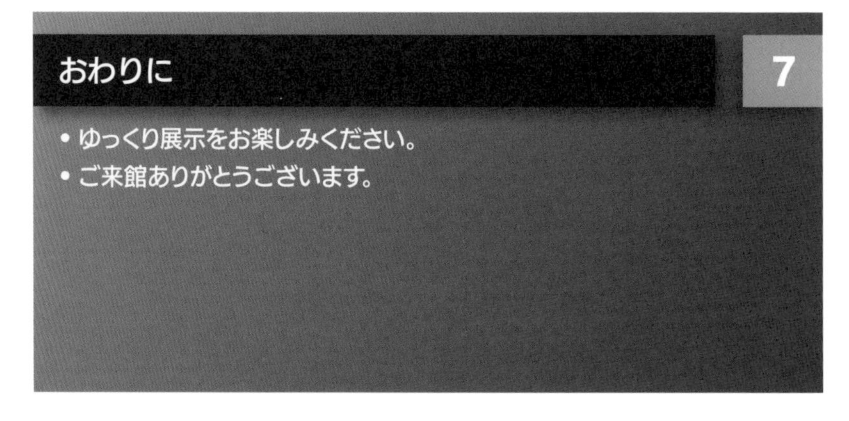
おわりに
7
• ゆっくり展示をお楽しみください。
• ご来館ありがとうございます。

●では次に、同じことを英語のスライドでもやってみます。スライドにある重要ポイントをつないで、「日本歴史博物館」について英語でプレゼンテーションしましょう。日本語の時と同じく、聞き手がいることを意識して、話してみてください。

スライド①

スライド②

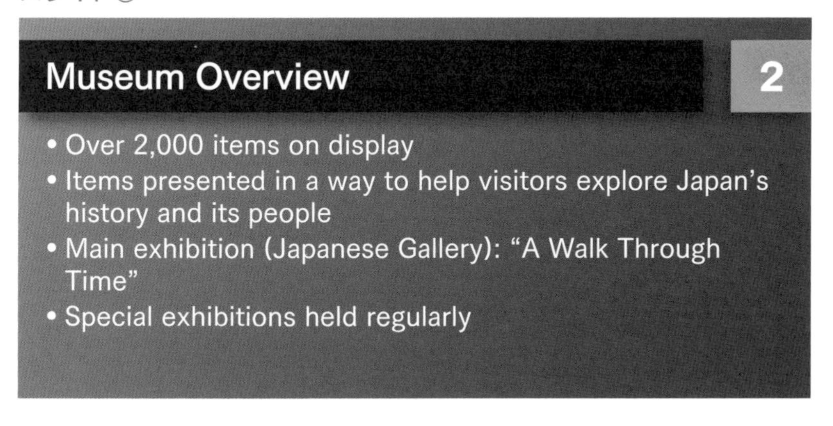

スライド③

Initiatives for International Visitors

3

- Enhancing multilingual support in our galleries
- Easy-to-understand exhibits and explanations for non-Japanese speakers

スライド④

The History and Mission of the NHM

4

- Founded in 1965
- Mission: To collect, study and display cultural properties

→Culture is preserved and transmitted through the experience of being exposed to cultural properties

スライド⑤

The Collection of the NHM

5

- Number of items: About 60,000 (as of 2023)
- Important Cultural Properties: 353 items (tangible cultural properties of exceptional importance in Japan's art or history)
- National Treasures: Five items (Important Cultural Properties that are extremely valuable from an international cultural perspective)

スライド⑥

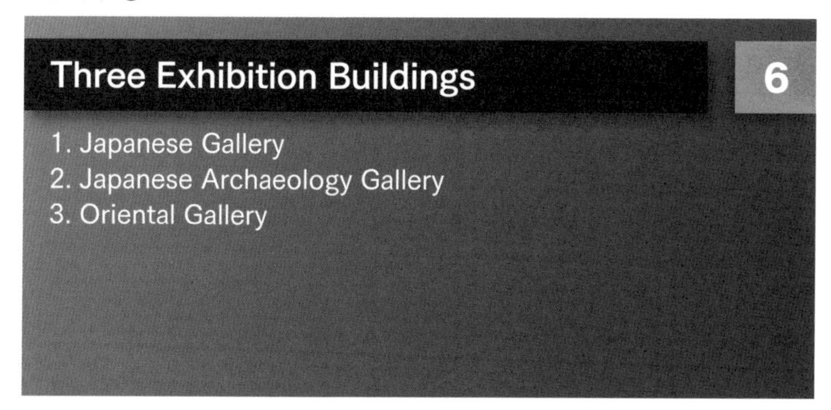
Three Exhibition Buildings
6
1. Japanese Gallery
2. Japanese Archaeology Gallery
3. Oriental Gallery

スライド⑦

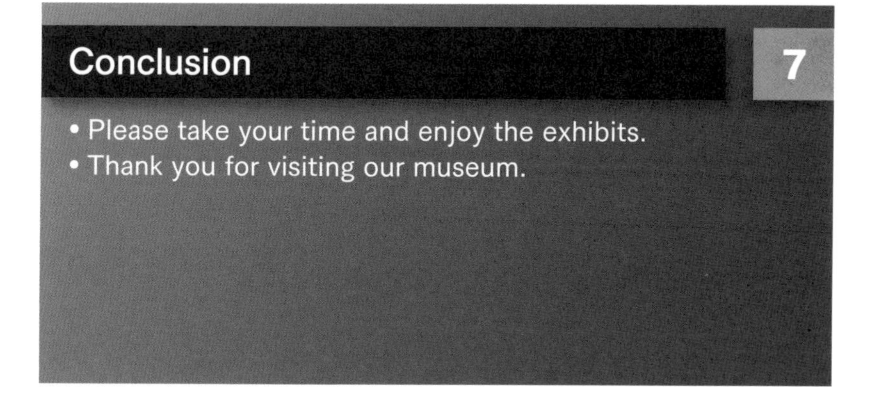
Conclusion
7
• Please take your time and enjoy the exhibits.
• Thank you for visiting our museum.

リピーティング

▶ Exercise 3「日本歴史博物館のご案内」

日本語でも英語でも、日本歴史博物館のプレゼンテーションができたでしょうか？ ここで1文ごとに 英語をリピートしましょう。「ルーティン1」で音読した内容だけではなく、自己紹介やあいさつも含まれています。

●英語の音声を聞きます。1文ごとにチャイムが鳴るので、直後のポーズで英語を繰り返しましょう。できるだけ、イントネーション、ポーズ、強調をまねてください。

085-091

スライド①

1. Welcome to the Nippon History Museum. /
2. My name is Ichiro Masaki, and I am the senior communications and media relations officer for the museum. /
3. Before we enter, I would like to give you a brief explanation of the Nippon History Museum. /

スライド②

4. At any given time, the Nippon History Museum has over 2,000 items on display. /
5. They are presented in a way to help visitors explore the history of the country as well as its people. /
6. The museum's main exhibition is its "A Walk Through Time," presented in the Japanese Gallery. /
7. Special exhibitions are held regularly throughout the year, so there's always something new for visitors to discover. /

スライド③

8. To ensure that all visitors enjoy their visit, we are currently enhancing multilingual support in our galleries. /
9. We are also making the exhibits and explanations easy to understand for non-Japanese speakers. /

スライド④

10. Let me tell you a little about the history and mission of the Nippon History Museum. /
11. The museum was founded in 1965. /

12. The mission of the Nippon History Museum is to collect, study and display cultural properties. /
13. We believe that the preservation and transmission of culture is achieved through the experience of being exposed to cultural properties. /

スライド⑤

14. Please allow me to introduce a few figures here. /
15. As of 2023, the Nippon History Museum has approximately 60,000 items in its collection. /
16. Of these, five are recognized as National Treasures and 353 as Important Cultural Properties. /
17. Among tangible cultural properties, Important Cultural Properties are those of exceptional importance in Japan's art or history. /
18. Among these Important Cultural Properties, those that are valuable from an international cultural perspective are considered National Treasures. /

スライド⑥

19. The Nippon History Museum has three exhibition buildings. /
20. As you can see here, first, there is the Japanese Gallery, which exhibits Japanese art. /
21. We also have the Japanese Archaeology Gallery with items from ancient Japan. /
22. The Oriental Gallery features exhibits from other parts of eastern Asia. /
23. We hope you will gain an understanding of the various influences Japan has experienced from these other places. /

スライド⑦

24. That concludes my brief description of the Nippon History Museum. /
25. Please take your time and enjoy the exhibits. /
26. Thank you for visiting the museum as well as for your kind attention. /

1文ごとの通訳

▶ Exercise 4「日本歴史博物館のご案内」

では次に、「ルーティン3」の英語をベースにした日本語の音声を聞き、英語にしてみましょう。時間内に、正しい表現で構文を組み立てることを心がけます。「ルーティン2」の日本語もしくは英語のスライドを見ながらでもかまいません。うまくいかなかった場合はもう一度、「ルーティン1」の音読に戻り、そして、この「ルーティン4」を再度試してみてください。最後に模範例と比較してみましょう。

●日本語の音声を聞きます。チャイムの直後のポーズで、英語で言ってみましょう(模範例はpp. 150-151にあります)。

092-098

スライド①

1. 日本歴史博物館へようこそいらっしゃいました。/
2. 私は、当博物館の広報室長をしております、真崎一郎(まさき・いちろう)と申します。/
3. 入館前に、手短に、日本歴史博物館のご説明を申し上げます。/

スライド②

4. 日本歴史博物館には常に2,000件を超える展示があります。/
5. 来館者が日本の歴史と日本人について探求できるように展示をしています。/
6. 当博物館のメインの展示物は、日本館にある「時空を歩く」です。/
7. 特別展も年間を通じ定期的に開催しており、来館者に常に新しい発見をご提供しています。/

スライド③

8. 皆さまにお楽しみいただけるよう、現在、館内での多言語対応を強化中です。/
9. また、日本語を母語としない方にわかりやすい展示と説明を心がけています。/

スライド④

10. ここで、少々、日本歴史博物館の歴史と使命についてご説明します。/
11. 当博物館は、1965年に創設されました。/
12. 日本歴史博物館の使命は、文化財の収集、調査、展示です。/
13. 文化の保存と継承は、文化財と接する経験をとおして実現すると信じております。/

スライド⑤

14. ここでいくつか、数字の紹介をさせていただきます。/
15. 2023年現在で、日本歴史博物館の収蔵品はおよそ6万件です。/
16. うち、国宝が5件、重要文化財が353件です。/
17. 有形文化財のうち、日本の芸術上または歴史上、きわめて重要なものを重要文化財と言います。/
18. さらに重要文化財の中でも、世界文化の見地から価値の高いものが国宝になります。/

スライド⑥

19. 日本歴史博物館には3つの展示館があります。/
20. ここにございますように、まずは、日本の美術を展示する日本館です。/
21. 次に日本の古来の物を集めた日本考古学館があります。/
22. 東洋館は、日本以外の東アジアの収蔵品を展示しております。/
23. 日本がこうした地域からさまざまな影響を受けてきたことをご理解いただけると幸いです。/

スライド⑦

24. 以上が、日本歴史博物館の簡単なご説明になります。/
25. ゆっくり展示をお楽しみください。/
26. ご来館およびご清聴ありがとうございました。/

【模範例】

スライド①

1. Welcome to the Nippon History Museum.
2. My name is Ichiro Masaki, and I am the senior communications and media relations officer for the museum.
3. Before we enter, I would like to give you a brief explanation of the Nippon History Museum.

スライド②

4. At any given time, the Nippon History Museum has over 2,000 items on display.
5. They are presented in a way to help visitors explore the history of the country as well as its people.
6. The museum's main exhibition is its "A Walk Through Time," presented in the Japanese Gallery.
7. Special exhibitions are held regularly throughout the year, so there's always something new for visitors to discover.

スライド③

8. To ensure that all visitors enjoy their visit, we are enhancing multilingual support in our galleries.
9. We are also making the exhibits and explanations easy to understand for non-Japanese speakers.

スライド④

10. Let me tell you a little about the history and mission of the Nippon History Museum.
11. The museum was founded in 1965.
12. The mission of the Nippon History Museum is to collect, study and display cultural properties.
13. We believe that the preservation and transmission of culture is achieved through the experience of being exposed to cultural properties.

スライド⑤

14. Please allow me to introduce a few figures here.
15. As of 2023, the Nippon History Museum has approximately 60,000 items in its collection.
16. Of these, five are recognized as National Treasures and 353 as Important Cultural Properties.
17. Among tangible cultural properties, Important Cultural Properties are those of exceptional importance in Japan's art or history.
18. Among these Important Cultural Properties, those that are valuable from an international cultural perspective are considered National Treasures.

スライド⑥

19. The Nippon History Museum has three exhibition buildings.
20. As you can see here, first, there is the Japanese Gallery, which exhibits Japanese art.
21. We also have the Japanese Archaeology Gallery with items from ancient Japan.
22. The Oriental Gallery features exhibits from other parts of eastern Asia.
23. We hope you will gain an understanding of the various influences Japan has experienced from these other places.

スライド⑦

24. That concludes my brief description of the Nippon History Museum.
25. Please take your time and enjoy the exhibits.
26. Thank you for visiting the museum as well as for your kind attention.

英語で話す

▶ Exercise 3「日本歴史博物館のご案内」

最後に海外からのお客さまに「日本歴史博物館」を英語でプレゼンテーションしてみましょう。ここまでで出てきた模範例を暗記しておく必要はないので、文章は、複雑ではないものを作るように心がけ、表現も自信を持って使えるものを選んで話してみてください。以下のスライドにある情報を参考にして、説明してみましょう。

●いままで同様、相手に話しかけるようにし、自分の声を録音するのもいいでしょう。そのあとで模範例pp.154-155のスクリプトおよび音声と比較してみてください（ここまでで学んだ模範例Aと、少し異なる単語と構文を使った模範例Bがあります）。先に模範例を確認してから、この「ルーティン5」に挑戦してもかまいません。

スライド①

日本歴史博物館のご案内　1

真崎一郎　（まさき・いちろう）
日本歴史博物館　広報室長

スライド②

博物館の概要　2

- 展示は常時2,000件を超える
- 日本の歴史と日本人について探求できる展示
- メインの展示（日本館）：「時空を歩く」
- 定期的に特別展を開催

スライド③

外国からの来館者対応　3

- 多言語対応を強化中
- 日本語を母語としない方にわかりやすい展示と説明

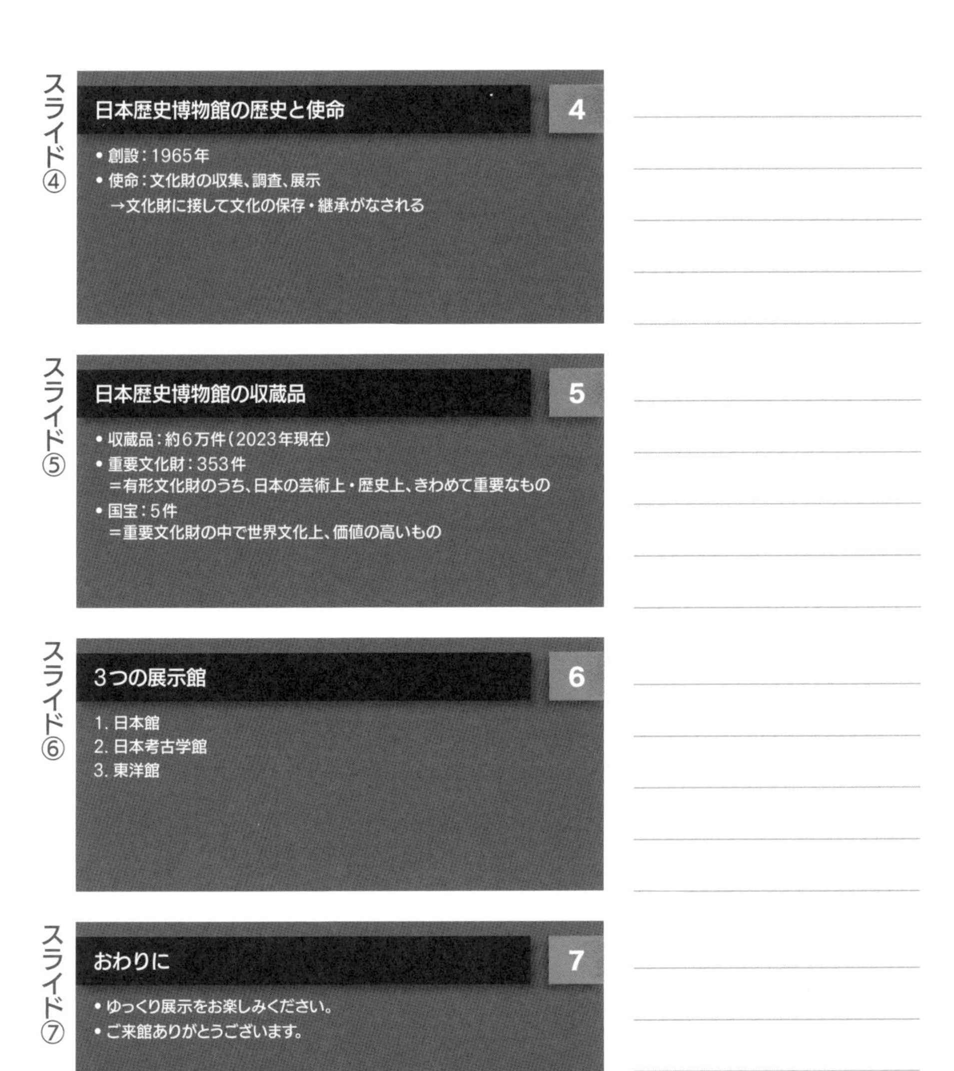
スライド④
日本歴史博物館の歴史と使命
4
• 創設：1965年
• 使命：文化財の収集、調査、展示
→文化財に接して文化の保存・継承がなされる
スライド⑤
日本歴史博物館の収蔵品
5
• 収蔵品：約6万件（2023年現在）
• 重要文化財：353件
＝有形文化財のうち、日本の芸術上・歴史上、きわめて重要なもの
• 国宝：5件
＝重要文化財の中で世界文化上、価値の高いもの
スライド⑥
3つの展示館
6
1. 日本館
2. 日本考古学館
3. 東洋館
スライド⑦
おわりに
7
• ゆっくり展示をお楽しみください。
• ご来館ありがとうございます。

【模範例 A】

Welcome to the Nippon History Museum. My name is Ichiro Masaki, and I am the senior communications and media relations officer for the museum.

Before we enter, I would like to give you a brief explanation of the Nippon History Museum.

At any given time, the Nippon History Museum has over 2,000 items on display. They are presented in a way to help visitors explore the history of the country as well as its people. The museum's main exhibition is its "A Walk Through Time," presented in the Japanese Gallery. Special exhibitions are held regularly throughout the year, so there's always something new for visitors to discover.

To ensure that all visitors enjoy their visit, we are currently enhancing multilingual support in our galleries. We are also making the exhibits and explanations easy to understand for non-Japanese speakers.

Let me tell you a little about the history and mission of the Nippon History Museum. The museum was founded in 1965. The mission of the Nippon History Museum is to collect, study and display cultural properties. We believe that the preservation and transmission of culture is achieved through the experience of being exposed to cultural properties.

Please allow me to introduce a few figures here. As of 2023, the Nippon History Museum has approximately 60,000 items in its collection. Of these, five are recognized as National Treasures and 353 as Important Cultural Properties. Among tangible cultural properties, Important Cultural Properties are those of exceptional importance in Japan's art or history. Among these Important Cultural Properties, those that are valuable from an international cultural perspective are considered National Treasures.

The Nippon History Museum has three exhibition buildings. As you can see here, first, there is the Japanese Gallery, which exhibits Japanese art. We also have the Japanese Archaeology Gallery with items from ancient Japan. The Oriental Gallery features exhibits from other parts of eastern Asia. We hope you will gain an understanding of the various influences Japan has experienced from these other places.

That concludes my brief description of the Nippon History Museum. Please take your time and enjoy the exhibits. Thank you for visiting the museum as well as for your kind attention.

【模範例 B】

Thank you for visiting the Nippon History Museum. I am Ichiro Masaki, senior communications and media relations officer at the museum. I would like to give you a brief explanation of the Nippon History Museum before we enter.

The Nippon History Museum has over 2,000 exhibits on display at any particular time, which are designed to enable visitors to discover more about the history of Japan and the Japanese people. The main exhibition at the museum is its "A Walk Through Time," which is found in the Japanese Gallery. We also hold special exhibitions throughout the year, based on our idea that there should always be something new to discover for visitors to the museum.

In order to make the museum more multilingual and suitable for all visitors, we are working to ensure that each gallery offers a wide variety of languages. We are also committed to providing displays and explanations that are easy for international visitors to understand.

Now, here's a little about the history and mission of the Nippon History Museum. Our museum was established in 1965. The mission of the Nippon History Museum is "To collect, study and exhibit cultural properties." The preservation and transmission of culture is achieved, we believe, through the learning experience of coming to the museum and encountering cultural properties.

We would like to introduce a few figures here. The collection of the Nippon History Museum boasts roughly 60,000 items as of 2023. Of these, there are five National Treasures and 353 Important Cultural Properties. Of the tangible cultural properties, those that are of high historical or artistic value to Japan and extremely important are called Important Cultural Properties. Furthermore, among these Important Cultural Properties, items that are valuable from the perspective of world culture are designated as National Treasures.

There are three exhibition halls in the Nippon History Museum. As noted here, firstly, there is the Japanese Gallery, which showcases Japanese art. Next, there is the Japanese Archaeology Gallery, which displays exhibits related to Japanese archaeology. And the Oriental Gallery exhibits the Oriental collections. We hope you will appreciate the many influences Japan has received from the Orient.

This concludes my brief description of the Nippon History Museum. Now, please enjoy the exhibition at your leisure. Welcome, and thank you very much for your attention.

※at any particular time：いつでも　＊at a particular timeとなると、「ある特定の時間に」という意味。／designate：～を指定する／as noted here：ここに述べられたとおり／showcase：～を展示する／at one's leisure：自身のペースで

解説

•肩書は正確に

今回は博物館の広報室長のプレゼンテーションです。こうした肩書は会社や組織によって違うので、英語で何と言うかは本人に確認するのが一番です。一般的には、会長は chairmanと言いますが、最近はジェンダーに配慮してchairpersonと言うことが多くなってきています。「社長」は president、CEO(最高経営責任者)は、chief executive officerの略で、CEOのままでも通じます。「専務取締役」は、senior managing director、「常務取締役」は、managing director、「取締役」はdirector、「本部長」は general manager、「部長」はmanager、「課長」はsection chiefなどです。名刺には英語の正式な肩書が書かれている場合が多いので、名刺を見れば間違いはありません。

•桁取りをマスターする

今回のプレゼンテーションには、数字がいくつか出てきました。瞬時に桁取りをして、正確な数字を言えるようになるには、練習あるのみです。日本語で大きな数字を表す時は、万、億、兆の単位と、4桁ごとに変化していきますが、英語では3桁ごとです。千はone thousand、1万はten thousand、10万はone hundred thousand、100万はone million、1000万はten million、1億はone hundred million、10億はone billion、100億はten billion、1000億はone hundred billion、1兆はone trillionです。ここでやっと日本語と英語で、単位の前の言葉(「1」)が合うのです。筆者は、切りのいいone millionが100万、one billionが10億ということを覚え、あとは、前後を3桁か4桁で合わせていくようにしています。数字を書き出すとコンマは3桁ごとに入るので、英語のほうが覚えやすいように感じています。同時通訳をするときは、瞬時に数字を変換しなければならず、大変です。私は横に座っている通訳パートナーに、数字を書いてもらうのですが、訳出する側の言語(target language)で書いてくださいとお願いしています。

•東洋ってどこのこと?

ここでは東洋の収蔵物が展示してある「東洋館」が出てきました。そもそも東洋とは、どこのことなのでしょうか。西洋(the West)の対称としてあるわけですから、東洋はthe EastもしくはOrientと表現されます。東洋の範囲は、トルコから東のアジア全域、または中東以外の東南アジアから極東を指す場合もあります。アジアとは、ユーラシア大陸のうち、ヨーロッパ諸国以外の地域のことなので、文脈によっては「東洋」をeastern Asia、もしくは、Asiaと言ってもいいでしょう。

第3章

上級編
英語で世界に発信する力を身に付ける

最後に実例を使い、英語で世界に向けて発信する練習をしましょう。ここでは、令和4年の長崎での平和祈念式典で読み上げられた、「長崎平和宣言」の音声と日本語・および公式英訳のスクリプトを素材に練習します。

資料：被爆77周年（令和4年）長崎原爆犠牲者慰霊 平和祈念式典「長崎平和宣言」
（田上富久・長崎市長）

Exercise 1

「存在する限りは使われる」

令和4年度 長崎平和宣言①

出典：長崎市

音読

▶ Exercise 1「存在する限りは使われる」

ここまでの学習を経て、新しい知識を身に付ければ、それが英語で表現できるようになることを感じていらっしゃるのではないでしょうか。ここではもう一段階上って、日本人として世界に発信できるようになりましょう。

日本から英語で世界に発信したい情報はたくさんありますが、その一つに、日本は被爆国であり、世界の平和を祈念しているということが挙げられると思います。この本の締めくくりとして、平和のメッセージを発信できるようになりましょう。

毎年、8月9日に長崎市長が「長崎平和宣言」を世界に向けてスピーチします。この宣言文は、英語に同時通訳され、10カ国語（英語、中国語、韓国語、フランス語、ロシア語、スペイン語、アラビア語、ポルトガル語、オランダ語、ドイツ語）に翻訳もされます。この翻訳原稿は長崎市のホームページに掲載されるほか、在日大使館、平和首長会議加盟都市、非核宣言自治体、平和団体などにも送付されます。ここでは、令和4年（2022年）8月9日の、田上富久（たうえとみひさ）長崎市長（当時）による長崎平和宣言の原稿とスピーチ音声の抜粋を使って、「5つのルーティン」で学習します。英語で平和への願いを発信できるようになりましょう。

●気持ちを込めて、スピーチの一部を音読してください。今までと同様、英語にするのが難しそうな表現や、重要そうだと思う表現には、印を付けながら読むことをお勧めします。

「『長崎平和宣言（令和4年8月9日）』より抜粋❶」

今年1月*、アメリカ、ロシア、イギリス、フランス、中国の核保有5か国首脳は「核戦争に勝者はいない。決して戦ってはならない」という共同声明を世界に発信しました。しかし、その翌月にはロシアがウクライナに侵攻。核兵器による威嚇を行い、世界に戦慄を走らせました。

この出来事は、核兵器の使用が“杞憂”ではなく“今ここにある危機”であることを世界に示しました。世界に核兵器がある限り、人間の誤った判断や、機械の誤作動、テロ行為などによって核兵器が使われてしまうリスクに、私たち人類は常に直面しているという現実を突き付けたのです。

核兵器によって国を守ろうという考え方の下で、核兵器に依存する国が増え、世界はますます危険になっています。持っていても使われることはないだろうというのは、幻想であり期待に過ぎません。「存在する限りは使われる」。核兵器をなくすことが、地球と人類の未来を守るための唯一の現実的な道だということを、今こそ私たちは認識しなければなりません。

今年1月*＝2022年1月を指す。

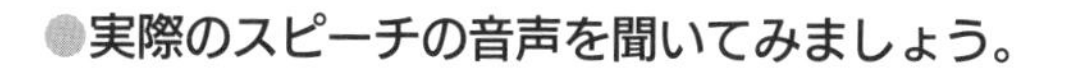
●実際のスピーチの音声を聞いてみましょう。

●次に英語を音読してください。以下は平和宣言の公式翻訳です。こちらも世界の人たちに伝わるように、感情を込めて読みましょう。

In January this year, the leaders of the United States, Russia, the United Kingdom, France and China released a joint statement affirming that "a nuclear war cannot be won and must never be fought." However, the very next month Russia invaded Ukraine. Threats of using nuclear weapons have been made, sending shivers throughout the globe.

This has shown the world that the use of nuclear weapons is not a "groundless fear" but a "tangible and present crisis." It has made us confront the reality that, as long as there are nuclear weapons in the world, humankind constantly faces the risk that nuclear weapons might be used due to mistaken human judgments, mechanical malfunctions or in acts of terrorism.

Under the notion of trying to protect nations with nuclear weapons, the number of nations dependent upon them increases and the world becomes a more and more dangerous place. The belief that even though nuclear weapons are possessed they probably will not be used is a fantasy, nothing more than a mere hope. "They exist, so they can be used." We must recognize that ridding ourselves of nuclear weapons is the only realistic way of protecting the Earth and humankind's future at this very moment.

●模範となる音読例を聞きましょう。

102

Words & Phrases

joint statement：共同声明
affirm：～を認める、～を確認する、～に賛同する
nuclear war：核戦争
Russia invaded Ukraine： ※ロシアのウクライナ侵攻（2022年2月24日）を指す。
send shivers：戦慄を走らせる、怖がらせる ※send a shiver down the / one's spine（背筋をぞっとさせる）という言い方もある。
nuclear weapon：核兵器
groundless fear：杞憂、思い過ごし ※直訳すると「根拠のない恐れ」。
tangible：有形の、実際の
mechanical malfunctions：機械の誤作動
under the notion of～：～という理念［考え］の下
nothing more than～：～にすぎない、～でしかない
rid oneself of～：（望ましくないものを）なくす、取り除く

令和4年8月9日、長崎平和宣言を読み上げる田上富久・長崎市長（当時）。
写真提供：長崎市

ルーティン Routine 2 重要ポイントをつなぐ ▶Exercise 1「存在する限りは使われる」

ここでは、通訳メモ風の資料を見ながら、宣言文の内容を日本語で話してみます。筆者は会議通訳を長年やっていますが、逐次通訳の時はメモを取ります。逐次通訳とは、話者がある程度まとまった長さを話したあとに、通訳者がそのかたまりを訳す手法です。逐次通訳の時に通訳者が取るメモは、話者の発言内容を理解し、記憶し、あとで別の言語で再現するためのものなので、一語一句を書き留めるのではなく、聞こえた内容を自分が通訳する際に思い出せるように、単語を省略型で記したり、単語同士の関係を示す記号などを使ったりします。

今回はその通訳者のノウハウを多少取り入れてメモを作りました。これを見ながら、皆さん自身が世界に発信するつもりで、平和宣言らしく、話してみてください。

●平和宣言を発信する際の重要ポイントが、以下のメモに書かれています。ポイントをつないで文章にして、日本語で言ってみましょう。自分の声を録音して、あとで聞いてみるのもよいでしょう。

今年1月

アメリカ
ロシア
イギリス
フランス
中国
］核保有5か国の首脳

「核戦争に勝者X」
「決して戦争はならない」
］共同声明 →世界に発信

しかし

翌月 →ロシアがウクライナに侵攻

ロシア＝核兵器による威嚇をした
∴（ゆえに）
世界＝戦慄が走った

この出来事
↓
核兵器の使用＝　① 杞憂×
　　　　　　　　② 今ここにある危機　→世界に示した

世界に核兵器がある限り
① 人間の誤った判断
② 機器の誤作動
③ テロ行為など　＝核兵器が使われてしまうリスク

人類＝常にこのリスクに直面＝現実

核兵器によって国を守ろうという考え方
↓
核兵器に依存する国↗
↓
世界の危険↗

持っている≠使う
＝幻想
＝期待

存在 限 使われる

認識すべし

核兵器をなくす＝地球
　　　　　　　　人類　未来を守るための　唯一
　　　　　　　　　　　　　　　　　　　　現実的　道

今こそ

●メモは参考になりましたか？ では、次に英語のメモを見ながら、重要ポイントをつないで、英語で話してみてください。

Jan＝this year
Leaders the U.S. / Russia / the U.K. / France / China — released a joint statement

Affirming "a nuclear war cannot be won and must never be fought"

However
Next month
RU invaded Ukraine

Threats of USING nuclear weapons → made
∴
Sent shivers throughout the globe

THIS has shown the world
USE of nuclear weapons
is × "groundless fear"
but "tangible and present crisis"

Made us confront the REALITY
＝As long as there are NWs in the WORLD
Humankind constantly faces the RISK that NWs might be USED

USED due to ① mistaken human judgments
② mechanical malfunctions
③ in acts of terrorism

Under the notion of trying to protect nations with NWs

↓

The number of nations dependent upon them ↗

↓

The world becomes ↗ dangerous place

The BELIEF = even though NWs are [possessed] they probably [will not be used]

= fantasy

= mere hope

"They exist, so they can be used."

We MUST recognize

Ridding ourselves of NWs is the

ONLY / REALISTIC] Way

of protecting

the EARTH / HUMANKIND's future]

At this [VERY MOMENT]

リピーティング

▶Exercise 1「存在する限りは使われる」

では、次に英語のリピーティングをしてみましょう。公式翻訳に基づいた英文を繰り返し言ってみます。

●以下の文、あるいは節の切れ目でチャイムが鳴ります。直後のポーズで英語を繰り返しましょう。

1. In January this year, the leaders of the United States, Russia, the United Kingdom, France and China released a joint statement /
2. affirming that "a nuclear war cannot be won and must never be fought." /
3. However, the very next month Russia invaded Ukraine. /
4. Threats of using nuclear weapons have been made, sending shivers throughout the globe. /
5. This has shown the world that the use of nuclear weapons is not a "groundless fear" but a "tangible and present crisis." /
6. It has made us confront the reality that, as long as there are nuclear weapons in the world, humankind constantly faces the risk /
7. that nuclear weapons might be used due to mistaken human judgements, mechanical malfunctions or in acts of terrorism. /
8. Under the notion of trying to protect nations with nuclear weapons, /
9. the number of nations dependent upon them increases and the world becomes a more and more dangerous place. /
10. The belief that even though nuclear weapons are possessed they probably will not be used is a fantasy, nothing more than a mere hope. /
11. "They exist, so they can be used." /
12. We must recognize that ridding ourselves of nuclear weapons is the only realistic way of protecting the Earth and humankind's future at this very moment. /

1文ごとの通訳

▶Exercise 1「存在する限りは使われる」

次に、「ルーティン3」の内容をベースにした日本語を聞き、直後のポーズ(間)で英語の訳を言いましょう。時間内に、正しい表現で構文を組み立ててみます。「ルーティン2」の日本語もしくは英語のメモを見ながらでもかまいません。うまくいかなかった場合は、もう一度「ルーティン1」の音読をして、この「ルーティン4」を再度試してみてください。

●1文ごとにチャイムが鳴ります(長い文は、途中で切っています)。直後のポーズで、英語にして言ってみましょう。模範例は次ページにあります。

1. 今年1月、アメリカ、ロシア、イギリス、フランス、中国の核保有5か国首脳は共同声明を出しました。/
2. 「核戦争に勝者はいない。決して戦ってはならない」と世界に発信したのです。/
3. しかし、その翌月にはロシアがウクライナに侵攻。/
4. 核兵器による威嚇を行い、世界に戦慄を走らせました。/
5. この出来事は、核兵器の使用が“杞憂”ではなく“今ここにある危機”であることを世界に示しました。/
6. 世界に核兵器がある限り、私たち人類はリスクに常に直面しているという現実を突き付けられたのです。/
7. 人間の誤った判断や、機械の誤作動、テロ行為などによって核兵器が使われてしまうという(リスクに)。/
8. 核兵器によって国を守ろうという考え方の下(もと)で、/
9. 核兵器に依存する国が増え、世界はますます危険になっています。/
10. 持っていても使われることはないだろうというのは、幻想であり期待に過ぎません。/
11. 「存在する限りは使われる」。/
12. 核兵器をなくすことが、地球と人類の未来を守るための唯一の現実的な道だということを、今こそ私たちは認識しなければなりません。/

【模範例】

1. In January this year, the leaders of the United States, Russia, the United Kingdom, France and China released a joint statement
2. affirming that "a nuclear war cannot be won and must never be fought."
3. However, the very next month Russia invaded Ukraine.
4. Threats of using nuclear weapons have been made, sending shivers throughout the globe.
5. This has shown the world that the use of nuclear weapons is not a "groundless fear" but a "tangible and present crisis."
6. It has made us confront the reality that, as long as there are nuclear weapons in the world, humankind constantly faces the risk
7. that nuclear weapons might be used due to mistaken human judgements, mechanical malfunctions or in acts of terrorism.
8. Under the notion of trying to protect nations with nuclear weapons,
9. the number of nations dependent upon them increases and the world becomes a more and more dangerous place.
10. The belief that even though nuclear weapons are possessed they probably will not be used is a fantasy, nothing more than a mere hope.
11. "They exist, so they can be used."
12. We must recognize that ridding ourselves of nuclear weapons is the only realistic way of protecting the Earth and humankind's future at this very moment.

Column

通訳者には「原稿の行間」が必要

長崎平和宣言はどうかわかりませんが、要人が世界に向けて発信するスピーチは、通常、スピーチライターが原稿を書きます。つまり練られた文章を登壇者が読み上げるという形になります。こういう場合は、通訳者にも事前にスピーチ原稿が渡されることが多く、そのスピーチ原稿を基に、聞いている人に響くよう、英語のスピーチ原稿にも工夫を凝らします。スピーチ原稿が数日前に手元に来た場合は、全文を翻訳する場合もあり、つまり、本番では、自分が書いた訳文を読み上げる形になります。また、公式翻訳を渡され、それを読み上げるよう依頼される場合もあります。とはいえ、本番で登壇者がアドリブを加えたり、何かの理由で、原稿の一部を飛ばしたりした場合、通訳者はあくまでもその発言に忠実に訳す必要があります。

また、スピーチ原稿が当日、現場で渡されることもよくあります。その場合は、さっと目を通す程度しか時間が取れないので、原稿を見つつ、スピーチを聞きながら、通訳をしていきます。これを「サイト・トランスレーション」と言います。本番前にもう少し時間がある場合には、ここで切って訳そうと思った場所にスラッシュ(／)を入れておいたり、部分的に訳語を書き込んだり、大事な言葉に丸を付けて、目がそこに行くように工夫したりします。原稿の行間が狭いと、こうした一連の作業がしづらいので、皆さんの中で、スピーチ原稿を作る立場の方がいらっしゃったら、ぜひ、登壇者のためだけではなく、通訳者のためにも行間を広く取っていただけると助かります。

最後に平和宣言を英語で発信してみましょう。今までの模範例どおりではなくてもかまいません。大事なのは、宣言に込められたメッセージを世界に届けることです。通訳者になった気持ちで、今回は、市長の日本語のスタイルを踏襲し、あまりくだけた英語ではなく、公式翻訳に準じたスタイルで話すように心がけてください。

●以下のメモを参考にし、「長崎平和宣言」を英語で発信してみましょう。そのあとで模範例(pp.174-175)のスクリプトおよび音声と比較してみてください。自分の英語を録音して聞き直したり、英語のわかる方に話したりするのもよいでしょう(なお、メモは日本語の宣言文に基づいて作成したため、模範例Aの英語の公式翻訳とは順番が異なります。模範例Bは短文化し、日本語にできるだけ合わせて訳しました)。

今年1月

アメリカ
ロシア
イギリス
フランス
中国
] 核保有5か国の首脳

「核戦争に勝者×」
「決して戦争はならない」
] 共同声明 →世界に発信

しかし

翌月 →ロシアがウクライナに侵攻

ロシア＝核兵器による威嚇をした
∴(ゆえに)
世界＝戦慄が走った

この出来事
↓
核兵器の使用＝　① 杞憂×
　　　　　　　　② 今ここにある危機　→世界に示した

世界に核兵器がある限り
① 人間の誤った判断
② 機器の誤作動
③ テロ行為など　＝核兵器が使われてしまうリスク

人類＝常にこのリスクに直面＝現実

核兵器によって国を守ろうという考え方
↓
核兵器に依存する国↗
↓
世界の危険↗

持っている≠使う
＝幻想
＝期待

存在　限　使われる

認識すべし

核兵器をなくす＝地球
　　　　　　　　人類　未来を守るための　唯一
　　　　　　　　　　　　　　　　　　　　現実的　道

今こそ

【模範例 A】

In January this year, the leaders of the United States, Russia, the United Kingdom, France and China released a joint statement affirming that “a nuclear war cannot be won and must never be fought.” However, the very next month Russia invaded Ukraine. Threats of using nuclear weapons have been made, sending shivers throughout the globe.

This has shown the world that the use of nuclear weapons is not a “groundless fear” but a “tangible and present crisis.” It has made us confront the reality that, as long as there are nuclear weapons in the world, humankind constantly faces the risk that nuclear weapons might be used due to mistaken human judgements, mechanical malfunctions or in acts of terrorism.

Under the notion of trying to protect nations with nuclear weapons, the number of nations dependent upon them increases and the world becomes a more and more dangerous place. The belief that even though nuclear weapons are possessed they probably will not be used is a fantasy, nothing more than a mere hope. “They exist, so they can be used.” We must recognize that ridding ourselves of nuclear weapons is the only realistic way of protecting the Earth and humankind’s future at this very moment.

【模範例 B】

106

The leaders of the five nuclear powers – the U.S., Russia, the U.K., France and China – issued a joint statement in January this year. The message to the world was that there are no winners in a nuclear war and such a war must never be fought. Yet the following month, Russia invaded Ukraine, and then made nuclear threats, creating a global shiver.

The event signaled to the world that the use of nuclear weapons was not a "groundless fear" but a "here-and-now crisis." As long as nuclear weapons exist in the world, there might be wrong decision-making, machine malfunctions or acts of terrorism that will lead to the use of the weapons. This is the risk we are faced with. Humans are constantly confronted with this reality.

With the idea of defending nations by means of nuclear weapons, an increasing number of countries are relying on them and the world is becoming more and more dangerous. If we have nuclear weapons, to think that they would never be used is an illusion and an unreal expectation. As long as they exist, they can be used. Now is the time for us to realize that the elimination of nuclear weapons is the only realistic way to protect the future of the planet and humanity.

※by means of～：～を手段として、～を用いて／elimination：廃絶、撤廃

Exercise 2
「“平和の文化”を根づかせよう」
令和４年度 長崎平和宣言②

音読

▶ Exercise 2「“平和の文化”を根づかせよう」

では、同じスピーチの続きをやってみましょう。

●気持ちを込めて音読してください。今までと同様、英語にするのが難しそうな表現や、重要そうだと思う表現には、印を付けながら読むことをお勧めします。

「『長崎平和宣言(2022年8月9日)』より抜粋❷」

世界の皆さん。戦争の現実がテレビやソーシャルメディアを通じて、毎日、目に耳に入ってきます。戦火の下で、多くの人の日常が、いのちが奪われています。広島で、長崎で原子爆弾が使われたのも、戦争があったからでした。戦争はいつも私たち市民社会に暮らす人間を苦しめます。だからこそ、私たち自らが「戦争はダメだ」と声を上げることが大事です。

私たちの市民社会は、戦争の温床にも、平和の礎(いしずえ)にもなり得ます。不信感を広め、恐怖心をあおり、暴力で解決しようとする“戦争の文化”ではなく、信頼を広め、他者を尊重し、話し合いで解決しようとする“平和の文化”を、市民社会の中にたゆむことなく根づかせていきましょう。高校生平和大使たちの合言葉「微力だけど無力じゃない」を、平和を求める私たち一人ひとりの合言葉にしていきましょう。

長崎は、若い世代とも力を合わせて、“平和の文化”を育む活動に挑戦していきます。

●実際のスピーチの音声を聞いてみましょう。

107

●次に、以下の英語を世界の人たちに伝わるように、感情を込めて読みましょう。

People of the world, every day we see and hear the reality of war through the television and social media. The daily lives of many people are being devoured by the fires of war. The use of atomic bombs on both Hiroshima and Nagasaki was due to war. War always causes suffering for us, the ordinary people living in civil society. And that is precisely why it is so important that we raise our voices and say "war is no good."

Our civil society can become either a keystone to peace or a hotbed of war. Instead of a "culture of war" that spreads distrust, fans terror and seeks to resolve matters through violence, let us make untiring efforts to ingrain in civil society a "culture of peace" that spreads trust, respects others and seeks resolutions through dialogue. Let each and every one of us who demands peace adopt the slogan of the Hiroshima Nagasaki Peace Messengers: "Our strength may be modest, but we're not powerless."

Nagasaki will, in conjunction with the power of young people, continue to involve itself in activities to foster a "culture of peace."

●模範となる音読例を聞きましょう。

108

Words & Phrases

raise one's voice：声を上げる
civil society：市民社会
keystone to peace：平和の礎
hotbed of war：戦争の温床
fan terror：恐怖心をあおる
untiring efforts：たゆまぬ努力
ingrain：～を根づかせる、～を浸透させる　※目的語は a "culture of peace"。
in conjunction with～：～と協力して、～と共に
foster：～を育む、～を促進させる、～を発展させる

重要ポイントをつなぐ ▶Exercise 2「"平和の文化"を根づかせよう」

●では、以下のメモを見ながら重要ポイントをつないで日本語で平和宣言を言ってみましょう。自分の声を録音して、後で聞いてみるのもよいでしょう。

世界の皆さん
戦争の現実＝TV／SNS　毎日　目／耳　入る

戦火の下　多くの人　日常／いのち　奪われている

広島／長崎　原爆使用　→　戦争があったから

戦争＝いつも　市民社会の人
↓
苦しめる

だからこそ
私たち自ら
「戦争は×!」
→声を上げる＝大事

私たちの市民社会＝戦争の温床
OR
平和の礎

可能

不信感→広
恐怖心→あおる
暴力で解決
＝戦争の文化

×

信頼→広
人→尊重
話し合いで解決
＝平和の文化

市民社会の中
たゆむことなく根づかせる

HS平和大使　＝合言葉　「微力 but ×無力」
＝ 平和　求　私たち ＝ 合言葉　Let's

長崎＝　若い世代　共　力＝合わせ
↓
「平和の文化」↗　活動に挑戦ing

●では、次に英語のメモを見ながら、重要ポイントをつないで、英語で話してみてください。

People of the WORLD,
Every day see / hear the reality of WAR
through TV / SNS

Daily lives = many people
↓
devoured by the fires of WAR

Use of AT/Bs on Hiroshima / Nagasaki was due to WAR

WAR always causes SUFFERING for us = ordinary people
= living in civil society

= precisely WHY it is SO IMPORTANT
to raise our voices and say "WAR IS NO GOOD"

Our civil society can become ① a keystone to peace
OR
② a hotbed of WAR

Instead of a "CULTURE of WAR" = ① spreads distrust
② fans terror
③ seeks to resolve matters through VIOLENCE

LET US MAKE untiring efforts to ingrain in civil society
A "CULTURE of PEACE" = ① spreads trust
② respects others
③ seeks resolutions through dialogue

LET each and every one of us = who demands PEACE
↓
adopt the slogan of the HR-NG Peace Messengers

"Our strength may be modest, but we're not powerless."

Nagasaki → in conjunction with the power of YOUNG PEOPLE
↓
Continue to involve itself in activities
↓
to foster a "CULTURE of PEACE"

▶Exercise 2「"平和の文化"を根づかせよう」

では、次に英語のリピーティングをしてみましょう。公式翻訳に基づいた英文を繰り返し言ってみます。

●以下の文、あるいは節の切れ目でチャイムが鳴ります。直後のポーズで英語を繰り返しましょう。

1. People of the world, every day we see and hear the reality of war through the television and social media. /
2. The daily lives of many people are being devoured by the fires of war. /
3. The use of atomic bombs on both Hiroshima and Nagasaki was due to war. /
4. War always causes suffering for us, the ordinary people living in civil society. /
5. And that is precisely why it is so important that we raise our voices and say "war is no good." /
6. Our civil society can become either a keystone to peace or a hotbed of war. /
7. Instead of a "culture of war" that spreads distrust, fans terror and seeks to resolve matters through violence, /
8. let us make untiring efforts to ingrain in civil society a "culture of peace" /
9. that spreads trust, respects others and seeks resolutions through dialogue. /
10. Let each and every one of us who demands peace adopt the slogan of the Hiroshima Nagasaki Peace Messengers: /
11. "Our strength may be modest, but we're not powerless." /
12. Nagasaki will, in conjunction with the power of young people, /
13. continue to involve itself in activities to foster a "culture of peace." /

1文ごとの通訳

▶ Exercise 2「"平和の文化"を根づかせよう」

次に、「ルーティン3」の内容をベースにした日本語を聞き、直後のポーズ(間)で英語で言いましょう。時間内に、正しい表現で構文を組み立ててみます。「ルーティン2」の日本語もしくは英語のメモを見ながらでもかまいません。うまくいかなかった場合は、もう一度「ルーティン1」の音読をして、この「ルーティン4」を再度試してみてください。

●1文ごとにチャイムが鳴ります(長い文は、途中で区切っています)。直後のポーズで、英語で言ってみましょう。模範例は次ページにあります。

110

1. 世界の皆さん。戦争の現実がテレビやソーシャルメディアを通じて、毎日、目に耳に入ってきます。/
2. 戦火の下で、多くの人の日常が、いのちが奪われています。/
3. 広島で、長崎で原子爆弾が使われたのも、戦争があったからでした。/
4. 戦争はいつも私たち市民社会に暮らす人間を苦しめます。/
5. だからこそ、私たち自らが「戦争はダメだ」と声を上げることが大事です。/
6. 私たちの市民社会は、戦争の温床にも、平和の礎にもなり得ます。/
7. 不信感を広め、恐怖心をあおり、暴力で解決しようとする"戦争の文化"ではなく、/
8. "平和の文化"を、市民社会の中にたゆむことなく根づかせていきましょう。/
9. 信頼を広め、他者を尊重し、話し合いで解決しようとする(平和の文化を)。/
10. 高校生平和大使たちの合言葉を、平和を求める私たち一人ひとりの合言葉にしていきましょう。/
11. (それは)「微力だけど無力じゃない」(です)。/
12. 長崎は、若い世代とも力を合わせて、/
13. "平和の文化"を育む活動に挑戦していきます。/

【模範例】

1. People of the world, every day we see and hear the reality of war through the television and social media.
2. The daily lives of many people are being devoured by the fires of war.
3. The use of atomic bombs on both Hiroshima and Nagasaki was due to war.
4. War always causes suffering for us, the ordinary people living in civil society.
5. And that is precisely why it is so important that we raise our voices and say “war is no good.”
6. Our civil society can become either a keystone to peace or a hotbed of war.
7. Instead of a “culture of war” that spreads distrust, fans terror and seeks to resolve matters through violence,
8. let us make untiring efforts to ingrain in civil society a “culture of peace”
9. that spreads trust, respects others and seeks resolutions through dialogue.
10. Let each and every one of us who demands peace adopt the slogan of the Hiroshima Nagasaki Peace Messengers:
11. “Our strength may be modest, but we’re not powerless.”
12. Nagasaki will, in conjunction with the power of young people,
13. continue to involve itself in activities to foster a “culture of peace.

Column

メモの取りすぎに注意

第3章の「ルーティン2」では、通訳風のメモを見ながら同じ言語で情報を再現しました。実際、逐次通訳をする時には、ほとんどの通訳者がメモを取ります。通訳現場で、「速記ですか?」「何を書いているのですか?」とお客さまが興味津々に聞いてこられることもしばしば。基本的には、通訳する際に必要な情報をメモしているわけですが、何がその情報にあたるかは、事前にどういう情報が手元にあるかによって違います。

ただ、一つ言えることは、聞きながら頭で情報を整理して書き留めているため、その作業自体が、理解を促進する機能も持っているということです。つまり、耳に入ってきた単語をどんどん書いていくのではなく、頭で理解したことを文字化するのです。流れていくスピーチのスピードに追いつけず、焦って、とりあえず聞こえた単語を書き殴っていくと、いざ通訳するとき、たった数分前に書いた自分のメモにもかかわらず、まったく意味不明、ということもあります。下手な通訳者ほど、たくさんメモを取っている印象があります。書くことにエネルギーを注いでいると、聞いて理解することがおろそかになるからでしょう。通訳をするときは、全神経を傾けて集中します。その集中力を話し手の言っていることを聞いて理解することと、メモを取ることとにうまく分散させなくてはなりません。

英語で話す

▶ Exercise 2「"平和の文化"を根づかせよう」

●以下のメモを参考にし、「長崎平和宣言」の続きを英語で発信してみましょう。そのあとで模範例(pp.188-189)のスクリプトおよび音声と比較します。自分の英語を録音して聞き直したり、英語のわかる方に話したりするのもよいでしょう(なお、メモは日本語の宣言文に基づいて作成したため、模範例Aの英語の公式翻訳とは順番が異なります。模範例Bは短文化し、日本語にできるだけ合わせて訳しました)。

世界の皆さん
戦争の現実＝TV
SNS
毎日 目
耳
入る

戦火の下 多くの人 日常
いのち
奪われている

広島
長崎
原爆使用 → 戦争があったから

戦争＝いつも 市民社会の人
↓
苦しめる

だからこそ
私たち自ら
「戦争は×!」
→声を上げる＝大事

私たちの市民社会＝戦争の温床
OR
平和の礎

可能

不信感→広
恐怖心→あおる
暴力で解決
＝戦争の文化

×

信頼→広
人→尊重
話し合いで解決
＝平和の文化

市民社会の中
たゆむことなく根づかせる

HS平和大使　＝合言葉　「微力 but ×無力」
＝ 平和　求　私たち ＝ 合言葉　Let's

長崎＝　　若い世代　共　力＝合わせ
↓
「平和の文化」↗　　活動に挑戦ing

【模範例 A】

111

People of the world, every day we see and hear the reality of war through the television and social media. The daily lives of many people are being devoured by the fires of war. The use of atomic bombs on both Hiroshima and Nagasaki was due to war. War always causes suffering for us, the ordinary people living in civil society. And that is precisely why it is so important that we raise our voices and say “war is no good.”

Our civil society can become either a keystone to peace or a hotbed of war. Instead of a “culture of war” that spreads distrust, fans terror and seeks to resolve matters through violence, let us make untiring efforts to ingrain in civil society a “culture of peace” that spreads trust, respects others and seeks resolutions through dialogue. Let each and every one of us who demands peace adopt the slogan of the Hiroshima Nagasaki Peace Messengers: “Our strength may be modest, but we’re not powerless.”

Nagasaki will, in conjunction with the power of young people, continue to involve itself in activities to foster a “culture of peace.”

【模範例 B】

Dear citizens of the world, the reality of war is in our eyes and ears every day on the television and social media. Under the fire of war, many people are unable to sustain their daily routines while many others lose their lives. It was because of war that the atomic bombs were used on Hiroshima and Nagasaki. War always causes pain to people living in civil society. Therefore, it is important for us to raise our own voice and say no to war.

Our civil society can become either a breeding ground for war or a cornerstone of peace. We do not want a "culture of war" that spreads mistrust, fosters fear and attempts to solve problems through violence. Instead, let's promote a "culture of peace" that employs trust, respect for others and the use of discussion to solve conflicts. Let the motto of the Hiroshima Nagasaki Peace Messengers, "We may be small but we are not powerless," become a slogan for each and every one of us who seeks peace.

Nagasaki will join forces with the younger generation to undertake activities to nurture a "culture of peace."

※breeding ground：培養地、温床／cornerstone：土台、基礎／employ：～を採用する／nurture：～を育む

Exercise 3

「長崎を最後の被爆地に」

令和4年度 長崎平和宣言③

音読

▶ Exercise 3「長崎を最後の被爆地に」

では、最後のExerciseとして「長崎平和宣言」の続きをやってみましょう。

●宣言文の最後の段落です。市長が伝えたいことをさらに気持ちを込めて音読してください。今までと同様、英語にするのが難しそうな表現や、重要そうな表現には、印を付けながら読むことをお勧めします。

「『長崎平和宣言(2022年8月9日)』より抜粋❸」

> 被爆者の平均年齢は84歳を超えました。日本政府には、被爆者援護のさらなる充実と被爆体験者の救済を急ぐよう求めます。
>
> 原子爆弾により亡くなられた方々に心から哀悼の意を表します。
>
> 長崎は広島、沖縄、そして放射能の被害を受けた福島とつながり、平和を築く力になろうとする世界の人々との連帯を広げながら、「長崎を最後の被爆地に」の思いのもと、核兵器廃絶と世界恒久平和の実現に力を尽くし続けることをここに宣言します。

●実際のスピーチの音声を聞いてみましょう。

次に英語を音読してください。世界の人たちに伝わるように、感情を込めて読みましょう。

The average age of the *hibakusha* has now reached over 84. I ask that the Government of Japan provide, as a matter of urgency, improved support for the *hibakusha* and relief measures for those who experienced the atomic bombings but have not yet received official recognition as bombing survivors.

I express my heartfelt condolences to all those who lost their lives in the atomic bombings.

Resolved to make "Nagasaki be the last place to suffer an atomic bombing," I hereby declare that Nagasaki will continue to do the utmost to realize the abolition of nuclear weapons and everlasting world peace, as we work together with Hiroshima, Okinawa and Fukushima, a victim of radiation contamination, and expand our alliance with people around the world who are trying to help cultivate peace.

模範となる音読例を聞きましょう。

114

Words & Phrases

hibakusha：被爆者
as a matter of urgency：急を要する案件として
relief measures：救済措置
express heartfelt condolences to～：～に心からの哀悼の意を表する
declare：宣言する
do the utmost to realize～：～を実現するために最善を尽くす
abolition of nuclear weapons：核兵器廃絶
everlasting world peace：世界恒久平和
victim of radiation contamination：放射能の被害を受けた（人・場所）

重要ポイントをつなぐ ▶Exercise 3「長崎を最後の被爆地に」

●では、以下のメモにある重要ポイントをつないで日本語で平和宣言を言ってみましょう。自分の声を録音して、あとで聞いてみるのもよいでしょう。

被爆者＝平均年齢
　　＝84＋

日本政府に
　↓　　① 被爆者援護　＋α　充実
　↓　　② 被爆体験者の救済急ぐ
求める

原爆→亡くなられた方々
↓
心から哀悼の意を表します

長＝　①広島
　　　②沖縄　　　　　　　　　　　　とつながる
　　　③福島（放射能の被害を受けた）
＋
長＝　平和を築く力になろうとする世界の人々との連帯を広げる

「長崎を最後の平和被爆地に」＝思い

核兵器廃絶
　＋　　　　　　力を尽くし続けることをここに 宣言 します。
世界恒久平和の実現

●次に英語のメモを見ながら、英語で話してみてください。

Av Age = hibakusha
reached 84 +

Ask → Gov of JPN
matter of urgency
↑ support for the *hibakusha*

Relief measures → those who experience the A bombings
BUT × received official recognition
= bombing survivors

I express my heartfelt condolences
→ all those who lost their lives
in A bombings

Resolved to make
"N be the last place to suffer A bombing"
I hereby DECLARE
N = continue to do utmost
→ realize ① the ABOLITION of N Weapons
② everlasting World P

Work together with ① HR
② OK
③ FUK = a victim of radiation contamination

EXPAND or ALLIANCE with people around the W
= who are trying to help cultivate P

リピーティング

▶ Exercise 3「長崎を最後の被爆地に」

では、次に英語のリピーティングをしてみましょう。公式翻訳に基づいた英文を繰り返し言ってみます。

●以下の文、あるいは節の切れ目でチャイムが鳴ります。直後のポーズで英語を繰り返しましょう。

1. The average age of the *hibakusha* has now reached over 84. /
2. I ask that the Government of Japan provide, as a matter of urgency, improved support for the *hibakusha* /
3. and relief measures for those who experienced the atomic bombings but have not yet received official recognition as bombing survivors. /
4. I express my heartfelt condolences to all those who lost their lives in the atomic bombings. /
5. Resolved to make “Nagasaki be the last place to suffer an atomic bombing,” /
6. I hereby declare that Nagasaki will continue to do the utmost to realize the abolition of nuclear weapons and everlasting world peace, /
7. as we work together with Hiroshima, Okinawa and Fukushima, a victim of radiation contamination, /
8. and expand our alliance with people around the world who are trying to help cultivate peace. /

1文ごとの通訳

▶ Exercise 3「長崎を最後の被爆地に」

次に、「ルーティン3」の内容をベースにした日本語を聞き、直後のポーズ(間)で英語の訳を言いましょう。時間内に、正しい表現で構文を組み立ててみます。「ルーティン2」の日本語もしくは英語のメモを見ながらでもかまいません。うまくいかなかった場合は、もう一度「ルーティン1」の音読をして、この「ルーティン4」を再度試してみてください。

●1文ごとにチャイムが鳴ります(長い文は途中で区切っています)。直後のポーズで、英語で言ってみましょう。模範例は次ページにあります。

1. 被爆者の平均年齢は84歳を超えました。/
2. 日本政府には、被爆者援護のさらなる充実と/
3. 被爆体験者[でありながら公的に認定されていない人々]の救済を急ぐよう求めます。/
4. 原子爆弾により亡くなられた方々に心から哀悼の意を表します。/
5. 「長崎を最後の被爆地に」の思いのもと、/
6. 長崎は核兵器廃絶と世界恒久平和の実現に力を尽くし続けることをここに宣言します。/
7. 広島、沖縄、そして放射能の被害を受けた福島とつながり、/
8. 平和を築く力になろうとする世界の人々との連帯を広げながら。/

【模範例】

1. The average age of the *hibakusha* has now reached over 84.
2. I ask that the Government of Japan provide, as a matter of urgency, improved support for the *hibakusha*
3. and relief measures for those who experienced the atomic bombings but have not yet received official recognition as bombing survivors.
4. I express my heartfelt condolences to all those who lost their lives in the atomic bombings.
5. Resolved to make "Nagasaki be the last place to suffer an atomic bombing,"
6. I hereby declare that Nagasaki will continue to do the utmost to realize the abolition of nuclear weapons and everlasting world peace,
7. as we work together with Hiroshima, Okinawa and Fukushima, a victim of radiation contamination,
8. and expand our alliance with people around the world who are trying to help cultivate peace.

英語で話す

▶ Exercise 3「長崎を最後の被爆地に」

●以下のメモを参考にし、「長崎平和宣言」の続きを英語で発信してみましょう。そのあとで模範例(p.198)のスクリプトおよび音声と比較します。自分の英語を録音して聞き直したり、英語のわかる方に話したりするのもよいでしょう(なお、メモは日本語の宣言文に基づいて作成したため、模範例Aの英語の公式翻訳とは順番が異なります。模範例Bは短文化し、日本語にできるだけ合わせて訳しました)。

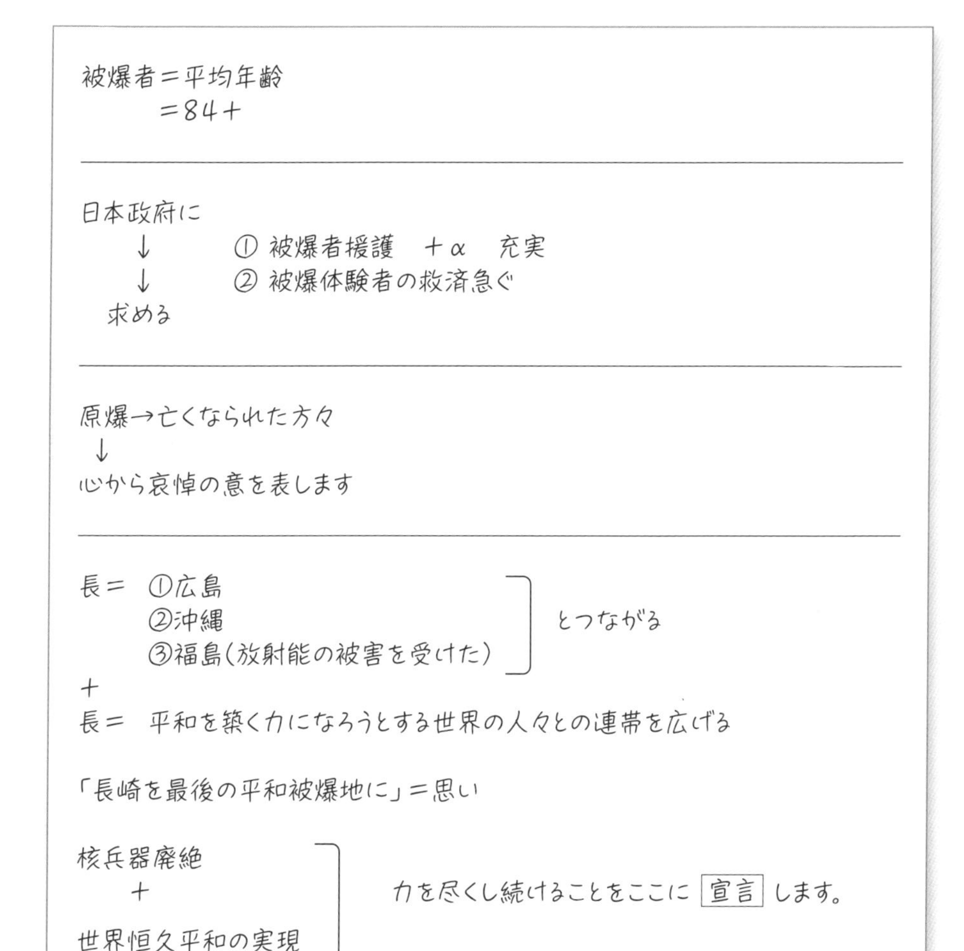

【模範例 A】

The average age of the *hibakusha* has now reached over 84. I ask that the Government of Japan provide, as a matter of urgency, improved support for the *hibakusha* and relief measures for those who experienced the atomic bombings but have not yet received official recognition as bombing survivors.

I express my heartfelt condolences to all those who lost their lives in the atomic bombings.

Resolved to make "Nagasaki be the last place to suffer an atomic bombing," I hereby declare that Nagasaki will continue to do the utmost to realize the abolition of nuclear weapons and everlasting world peace, as we work together with Hiroshima, Okinawa and Fukushima, a victim of radiation contamination, and expand our alliance with people around the world who are trying to help cultivate peace.

【模範例 B】

The A-bomb survivors' average age is now over 84. I urge the Japanese government to further improve *hibakusha* relief and to urgently provide relief to A-bomb survivors who have not yet been recognized.

I express my deepest condolences to those who lost their lives in the atomic bombings.

I have the desire to make "Nagasaki be the last A-bombed city." Nagasaki hereby declares that it will continue to strive for the abolition of nuclear weapons and the realization of lasting peace in the world. Nagasaki ties in with Hiroshima and Okinawa, as well as with Fukushima, which has also suffered from radiation damage. We extend our solidarity to the people of the world who seek to be a force for peace.

※strive for～：（～に向けて）努力する／solidarity：団結、連帯

Column

発話者に寄り添って訳す

長崎平和宣言での市長のメッセージについて、皆さんはどう思われたでしょうか？ 特にこの最後Exerciseは、メッセージ性が高い部分です。田上市長の思いに心から賛同して、ルーティンをこなせたでしょうか？ もし、自分は違う意見だなと思われたのであれば、演習をしている際に、心理的抵抗を感じられたかもしれません。私自身は、この平和宣言の内容に心から賛同するので、もしこのスピーチの通訳を依頼されていたら、まったく抵抗なく、英語にできたと思います。通訳者は、発話者に成り代わって話すので、発話者の分身のようなものです。むろん、かならずしも発話者と同じ思いである必要はないのですが、私は、発話者と思いや意見が同じだと、一体感を持って通訳できるように感じます。

今回掲載した令和4年の長崎平和宣言は、冒頭に、被爆者のストーリーの引用があります。ここでは取り上げるスペースがありませんでしたが、この部分では、強い感情を表す言葉が使われています。ぜひ、長崎市のホームページに行って、全文を音読してみてください。また、長崎市公式チャンネルの動画を見ると、市長も感情を込めて話していることがわかります。通訳者がどこまで感情移入をして通訳をすべきかについてはいろいろな意見があると思いますが、発話者が特に伝えたいと思っている部分は、同じようなトーンで伝わるように、私は言葉選びだけではなく、声色や間の取り方も工夫しています。

解説

●公式翻訳の役割と使い方

公式翻訳からは多くの表現を学べます。まず、自分が通訳を担当する場合は、原則、公式翻訳に沿った訳出をすべきです。ちなみにこの第3章では模範例Aは公式翻訳を示し、模範例Bはここから発展させ、皆さんが学習しやすいように調整しました。例えばExercise 1の、「核保有5か国首脳」は、公式翻訳ではthe leaders of のあとに国名を列挙していますが、模範例Bでは、より日本語に忠実に the leaders of the five nuclear powersとしました。

「ロシアがウクライナに侵攻しました」という箇所は、「侵攻する」という動詞を使っているため、模範例は両方ともinvadeを使っています。戦争は、どちらの立場から語るかで使われる用語も違ってきます。日本のメディアでは名詞形だと「ロシアのウクライナ侵攻」、もしくは「ロシアのウクライナ軍事侵攻」を使っています。英語では、Russia's invasion of Ukraine, Russia-Ukraine War, Russia's war in Ukraine, Russo-Ukraine Warが使われており、war（戦争）という表現がよく使われていることがわかります。ちなみに「日露戦争」は Russo-Japanese War、「日清戦争」は Sino-Japanese Warという英語での定訳があります。今回のことが歴史上の出来事になる頃には定訳ができていることでしょう。

また、核保有5か国首脳の共同声明の文書はおそらく英語ですから、共同声明をそのまま引用し、"a nuclear war cannot be won and must never be fought." と言うのがいいでしょう。長崎市の公式翻訳もこれをそのまま使っています。模範例Bは皆さんが声に出して言うためのものなので、"... there are no winners in a nuclear war and such a war must never be fought."と、日本語のスピーチに忠実な訳を提示しました。

●映画の知識だって役に立つ！

Exercise 1で「今ここにある危機」という言葉が出てきます。「こんなタイトルの映画があったような気がするなぁ」と思った方もいらっしゃるのではないでしょうか？ 実は皆さんが思い浮かべた映画の題名は「今そこにある危機」で「ここ」ではありません。ちなみにこれは、*Clear and Present Danger*という原題の、1994年のアメリカ合衆国のアクション映画です。この英語だと、今回の訳にも使えそうですね。長崎平和宣言では、特に映画を意識したわけではないでしょうが、実は、あえて有名な映画のタイトルやセリフを織り交ぜるスピーチもあります。そのような場合、すっと、原題や元のセリフが出てくるとかっこいいので、たくさん映画を見ておくとよいでしょう。

世界的によく知られている邦画もありますが、日本語と英語のタイトルが全く異なるものがあります。スタジオジブリの『千と千尋の神隠し』（2001年公開）は *Spirited Away*、納棺師を描いた『おくりびと』（2008年公開）は *Departures* です。

●人々に何と呼びかけるか

Exercise 2の冒頭は、「世界の皆さん」という言葉で始まります。公式翻訳では、これはPeople of the world,となっていますが、長崎市長が世界中の人々に強く訴えかけている印象を与えます。一方、皆さんに練習していただく模範例Bでは、Dear citizens of the world,

としました。こちらはDearを冒頭に付けることで、やわらかく話しかけている感じが出ます。なお、Citizens of the world,は、1961年のJ.F.ケネディー大統領の就任演説にも出てきた表現です。My fellow citizens of the world: ask not what America will do for you, but what together we can do for the freedom of man.という一節をお聞きになったこともあるでしょう。これも、多くの聴衆を相手にするスピーチに適した表現です。

●日本語がそのまま英語になっている単語

日本語の表現をそのまま英語で使うことがあります。そのひとつが*hibakusha*（被爆者）で、この文脈では1945年8月6日の広島市、同年8月9日の長崎市への原爆投下により被害を受けた人を指します。外務省のホームページでは、*hibakusha* (atomic bomb survivors)とあります。bomb-affected peopleとも言えます。丁寧に説明する場合は、the survivors of the atomic bombings of Hiroshima and Nagasaki in 1945としてもよいでしょう。

日本の文化に由来する言葉で、英語にそのまま取り入れられているものはたくさんあり、例えばninja（忍者）、manga（マンガ）、karaoke（カラオケ）などがあります。ビジネス関連であれば、kaizen（改善）、kanban（カンバン方式）といった言葉もそのまま通じます。昨今の日本のポップカルチャーの海外進出で、kawaii（かわいい）、otaku（オタク）といった言葉も、特に若者文化においては問題なく通じます。このように、概念の広まりと共にオリジナルの言語が外国語に定着したものとは別に、日本が世界に広めたい概念や表現をあえて浸透させるために日本語のままでメディア発信するものもあります。たとえば第1章で出てきた相撲であれば、日本相撲協会のホームページでは英語にはせずrikishi（力士） banzuke（番付）sumo beya（相撲部屋）としています。

●平和宣言に必ず出てくる表現を覚えよう

Exercise 3では、「心から哀悼の意を表します」という一節があります。公式翻訳ではI express my heartfelt condolences to ...と英訳されており、これは弔辞を述べる時の定型文です。このほかに、模範例Bで示したI express my deepest condolences to ...、また、I am sending thoughts and prayers to ...、I would like to express my sympathy to ...などの表現があります。日本語も英語も定型表現として丸ごと覚えておくとよいでしょう。

「原子爆弾」のatomic bombはA-bombと略されることも覚えておきましょう。「原爆で被爆する」はsuffer from A-bombing、「被爆する、放射線を浴びる」はbe exposed to radiationと言います。radiation自体は「放射線」の意味なので、radiation therapy（[がんの]放射線治療）のように使う場合もあります。文脈に注意しましょう。

参考資料：令和4年 長崎平和宣言
日本語版 https://www.city.nagasaki.lg.jp/heiwa/3070000/307100/p036984.html
英語版 https://www.city.nagasaki.lg.jp/heiwa/3070000/307100/p036998.html
出典：長崎市(pp. 160-201)

池田和子（いけだ・かずこ）

上智大学外国語学部・比較文化学科卒業。モントレー国際大学大学院・会議通訳修士。コロンビア大学大学院・英語教授法修士。外国資金為替ディーラーを経て、1993年よりフリーランスの会議通訳者・翻訳者として活躍し、スポーツから国際会議まで幅広い分野をこなす。2002年より東京外国語大学非常勤講師として、通訳講座および通訳訓練法を応用した英語講座を担当。2021年より早稲田大学大学院でも教える。
寄稿記事に「会議通訳者の養成における日米の比較」（「日本語学」1995年12月号［明治書院］）、日本通訳翻訳学会機関誌「通訳研究」第2巻、論文に「逐次通訳演習における教室内でのペアワークの効果」など。また『オーレックス和英辞典』（旺文社）の執筆にも携わっている。

英語で説明・プレゼン・発信ができるようになる5つのルーティン

発行日：2023年6月19日（初版）

著者：池田和子
校正：Margaret Stalker、Peter Branscombe、挙市玲子

デザイン・装丁・DTP：伊東岳美
イラスト：サノマキコ
ナレーション：Deirdre Merrell-Ikeda、Chris Koprowski、夏目ふみよ、勝沼紀義
制作協力：長崎市
録音・編集：株式会社メディアスタイリスト
印刷・製本：シナノ印刷株式会社

発行者：天野智之
発行所：株式会社アルク
〒102-0073　東京都千代田区九段北 4-2-6　市ヶ谷ビル
Website：https://www.alc.co.jp/

PC：7023002
ISBN：978-4-7574-3994-8